KV-446-679

VOCABULAIRE DES TERMES D'ARCHITECTURE ET DU BÂTIMENT

Hydro-Québec

Réalisé en collaboration par la
vice-présidence Information et Affaires publiques
et le groupe Équipement

Première édition : 1987
Nouveau tirage : 1988

© Hydro-Québec, janvier 1987
Tous droits réservés.

Dépôt légal — 1er trimestre 1987
Bibliothèque nationale du Québec
Bibliothèque nationale du Canada

ISBN 2-550-16954-9
963-1685

Le *Vocabulaire des termes d'architecture et du bâtiment* a été réalisé par

Jean-Marc Lambert, terminologue
Division Terminologie et Documentation
Service Rédaction et Terminologie
Direction Édition et Publicité

et

Richard Côté, architecte, remplacé par
Ronald Melanson, architecte, en janvier 1984,
Direction Architecture
Vice-présidence Ingénierie et Construction

Graphisme

Ginette Grégoire
Service Publicité
Direction Édition et Publicité

ABLE DES MATIÈRES

Le *Vocabulaire des termes d'architecture et du bâtiment* vise à normaliser la terminologie relative à l'architecture dans les installations d'Hydro-Québec. Il s'adresse au personnel d'Hydro-Québec.

Le vocabulaire comporte deux parties. La première est une nomenclature systématique qui regroupe les termes selon un ordre logique. À l'intérieur de chaque subdivision, les termes sont placés dans l'ordre alphabétique. La deuxième partie constitue le vocabulaire proprement dit et contient tous les termes dans l'ordre alphabétique absolu, suivis de leur définition.

Dans le présent vocabulaire, la terminologie française en usage à l'échelle internationale a été adoptée, sauf lorsque des réalités spécifiquement nord-américaines amenaient à s'en écarter et à proposer des termes nouveaux. De plus, les termes ont été choisis en fonction de leur utilisation courante et les définitions sont données dans le contexte d'Hydro-Québec. Ils ont été étudiés par un architecte de la direction Architecture et un terminologue du service Rédaction et Terminologie.

Au fur et à mesure de l'élaboration du vocabulaire, les responsables ont mené des consultations auprès des diverses unités administratives susceptibles d'utiliser cette terminologie. Nous remercions les personnes consultées de leur collaboration.

Nous espérons que le présent document sera utile et que les utilisateurs voudront bien communiquer leurs observations et leurs critiques au service Rédaction et Terminologie.

aVANT-PROPOS

Hydro-Québec
Vice-présidence Information et Affaires publiques
Direction Édition et Publicité
ISBN 2-550-16954-9
963-1685

► Domaine d'emploi correspondant à une subdivision de la nomenclature systématique. Les chiffres entre parenthèses placés à la suite de la mention du domaine renvoient à la nomenclature.

(...)
On met des termes entre parenthèses lorsque leur emploi est facultatif dans un contexte suffisamment clair, par exemple, garage (de stationnement) ; lorsqu'il s'agit d'abréviations ou de sigles, par exemple, (CER) ; ou lorsque les termes constituent un choix, par exemple, gaine d'ascenseur (ou de monte-charge).

Voir aussi
La mention «voir aussi» renvoie à un ou plusieurs autres termes ayant une certaine relation avec le terme traité.

Voir
La mention «voir» figure après un terme à éviter et renvoie au terme à utiliser. Les termes à éviter n'apparaissent pas dans la nomenclature systématique.

●
Ce signe précède la mention d'un terme ou d'une expression à éviter.

Syn.
Synonyme.

nOTES LIMINAIRES

Partie I

nOMENCLATURE SYSTÉMATIQUE

abri
abri d'instruments
aérodrome
aérogare
aéroport
aire
annexe
bâtiment
bâtiment mobile
bâtiment préfabriqué
bâtiment principal
bâtiment usiné
centre communautaire
chantier
complexe

dépendance
édifice
espace
îlot
immeuble
maison
maison mobile
résidence
roulotte
zone

1 CONSTRUCTIONS ET ENSEMBLES

2.1 Généralités

aile
amphithéâtre
appentis
atelier de bricolage
cabine
cave
chambre
chambre (à coucher)
comble
compartiment
construction hors toit
étage
gymnase
îlot
laboratoire
local
logement
mezzanine
niveau
pièce

rez-de-chaussée
salle
salle commune
salle de jeux
salle d'entraînement
salle de séjour
salle de télévision
salle polyvalente
sauna
sous-sol
véranda
vide sanitaire
vide sous toit

2.2 Circulation

aire de chargement de camion
cabine d'ascenseur
cage d'escalier
corridor
couloir
dégagement
entrée
gaine d'ascenseur (ou de
    monte-charge)
galerie
hall (d'entrée)
palier
passage
passerelle
sas
tambour
vestibule

PARTIES DE BÂTIMENT

2.3 Auxiliaires du bâtiment

centrale
centrale à air comprimé
centrale de dépoussiérage
chambre des transformateurs
chaufferie
gaine technique
guérite
local d'entretien
local des machines
local des poulies
local du réseau d'extincteurs
   automatiques à eau
local électrique
local technique
local téléphonique
poste de garde
salle de climatisation
salle de distribution
   électrique
salle des machines
salle du groupe électrogène
station de pompage
station d'épuration
station de traitement de l'eau
vide technique

2.4 Hygiène et santé

buanderie
cabine de douche
cabinet (d'aisances)
centre médical
infirmerie
poste de (premiers) secours
salle d'eau
salle de bains
salle de repos
salle d'examens
toilettes

2.5 Alimentation

bar
cafétéria
cantine
casse-croûte
chambre à ordures (ménagères)
chambre froide
congélateur-chambre
cuisine
cuisinette
dépanneur
garde-manger
laverie (de cuisine)
réfrigérateur-chambre
réserve (d'aliments)
restaurant
salle à manger

2.6 Rangement

aire d'entreposage saisonnier
case
casier
débarras
dépôt
entrepôt
garde-robe
hangar
lingerie
magasin
penderie
placard
remise
réserve
salle de rangement
vestiaire

3.1 Généralités

aire d'avitaillement
aire de repos
aménagement paysager
balcon
belvédère
ceinture paysagère
cour
courette
fossé
îlot
loggia
lot
parc
perron
porche
portique
puits
terrain (à bâtir)
terrain de sports
terrasse

3.2 Transport et accès

aire de stationnement
allée
appontement
chemin
emplacement de stationnement
héliport
hélisurface
îlot à essence
kiosque d'avitaillement
parc de stationnement
piste
plate-forme de posé
poste d'avitaillement
poste d'essence
quai
quai de chargement
rampe
tour de contrôle
trottoir
voie de circulation
voie de garage
zone d'entretien
zone de sécurité

3 LIEUX EXTÉRIEURS

4.1 Administration

aile de l'administration
archives
bâtiment administratif
bâtiment de l'administration
bibliothèque
bureau
bureau collectif
bureau d'accueil
bureau paysager
cabine de projection
cartothèque
centre administratif
centre d'accueil
centre de calcul
centre de diffusion
centre de documentation
centre de formation
centre informatique
chambre forte
chambre noire
école de monteurs
garage (de stationnement)
îlot
imprimerie

médiathèque
messagerie
papeterie
photothèque
poste de conception assistée
  par ordinateur
poste de traitement de textes
poste de travail
réception
salle d'archivage
salle d'attente
salle de conférences
salle de cours
salle de dessin
salle de mécanographie
salle d'entrevue
salle de projection
salle d'équipement informatique
salle de reprographie
salle de réunions
salle des données
salle des monteurs
salle des ordinateurs
salle des périphériques
salle des terminaux
salle du conseil
siège régional
siège social
studio audiovisuel
studio de photographie

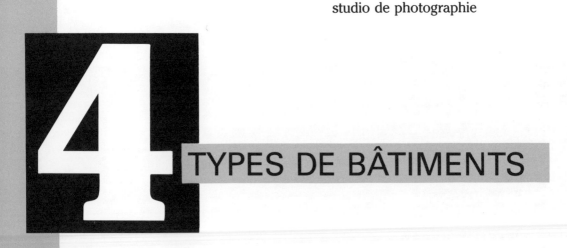

4 TYPES DE BÂTIMENTS

4.2 Construction et entretien

atelier
atelier de ferblanterie
atelier de forge et de soudage
atelier de grande puissance
atelier de l'appareillage
atelier de l'outillage
atelier d'entretien
atelier de peinturage
atelier de radiocommunications
atelier des compteurs
atelier des gants
atelier des lignes
atelier des moteurs
atelier des pneus
atelier des véhicules
atelier électrique
atelier électronique
atelier hydraulique
atelier mécanique
cabine de décapage mécanique
cabine de peinturage
cabine de sablage
cabine de soudage
centre de distribution
centre de récupération
chambre des huiles
cour à matériaux
dépôt de matières dangereuses
fosse de décuvage
hall de montage
laboratoire des huiles
laboratoire de télécommunications
lave-auto
magasin d'outillage
menuiserie
tôlerie

4.3 Transport et distribution d'électricité

aire de manœuvre
aire des condensateurs
aire des transformateurs
bâtiment de commande
bâtiment de maintenance
bâtiment de manœuvre
bâtiment d'entretien
  (de l'appareillage)
bâtiment de poste
bâtiment de relayage
bâtiment des compensateurs
  statiques
bâtiment des compresseurs
bâtiment de téléconduite
cellule
centre de conduite du réseau (CCR)
centre d'exploitation de distribution
  (CED)
centre d'exploitation régional (CER)
poste de conversion
poste de distribution
poste de répartition
poste de sectionnement
poste de transformation
poste de transport
poste (électrique)
poste extérieur
poste intérieur
poste souterrain
poste surbaissé
salle commune des opérateurs
salle d'alimentation électrique
salle d'alimentation statique
  sans coupure
salle de commande
salle de manœuvre
salle de mesurage
salle de relayage
salle des accumulateurs
salle des batteries
salle des câbles
salle des valves à thyristors

salle de télécommunications
salle de téléconduite
salle d'exploitation
séchoir
station de conversion
travée

4.4 Production d'électricité

centrale à turbine(s) à gaz
centrale de pompage
centrale diesel
centrale (électrique)
centrale éolienne
centrale hydroélectrique
centrale thermique
centrale thermique classique
centrale (thermique) nucléaire
centrale thermo-électrique

4.4.1 Centrales hydroélectriques

abri d'instruments
bâtiment des vannes
cabine (de commande) du portique
cabine de vanne
chambre d'échappement
chambre des vannes
galerie d'accès des turbines
galerie des câbles électriques
galerie des canalisations
   (groupes, transformateurs)
galerie des tableaux
galerie de visite
hall de montage
puits (d'un groupe turbine-
   alternateur)
salle de commande
salle des alternateurs
salle des disjoncteurs
salle des opérateurs
station d'alimentation des
   servomoteurs
station de filtration

4.4.2 Centrales thermiques classiques

aile de l'administration
aire des ventilateurs de soutirage
atelier d'instrumentation
chambre des pompes (à mazout)
chambre du réservoir d'huile
   de lubrification
chaufferie
chaufferie auxiliaire
compartiment de ballastage
laboratoire de contrôle
parc à mazout
poste de déminéralisation
salle d'échantillonnage de l'eau
salle de commande
salle de pompage du mazout
salle des enregistreurs
salle des machines
salle de traitement (du mazout)
soufflerie
station de transfert (du mazout)

4.4.3 Centrales diesel

atelier des injecteurs
gare des râcleurs
parc des radiateurs
salle de commande
salle de conditionnement
   (du mazout)
salle des compresseurs
salle des extincteurs
salle des groupes diesel
station de surpression

4.4.4 Centrales nucléaires

4.4.4.1 Généralités

aire de stockage des déchets
  radioactifs (ASDR)
bâtiment de la turbine
bâtiment de l'eau de service
  recirculée
bâtiment de radioécologie
bâtiment des inspections
  périodiques
bâtiment des services
bâtiment du réacteur
bâtiment du simulateur
bâtiment du système de
  refroidissement d'urgence
  haute pression
enceinte de confinement
enceinte étanche
laboratoires de radioprotection
tour de reconcentration
zone contrôlée

4.4.4.2 Bâtiment des services

aire de manipulation du
  combustible neuf
atelier de la machine de chargement
atelier de radioprotection
atelier des masques
bâtiment d'alimentation
  électrique d'urgence
centre de décontamination
corridor antisismique
laboratoire de chimie
local des sources
piscine du combustible défectueux
piscine du combustible épuisé
salle auxiliaire du modérateur
salle de climatisation
salle de commande
salle de commande auxiliaire
salle de contrôle de l'eau lourde
salle de deutération
salle de manutention des résines
salle de manutention du
  combustible épuisé
salle d'épuration de l'air
salle de purification du caloporteur
salle de purification du modérateur
salle d'équipement de commande
salle de récupération de l'eau
  lourde
salle de récupération de vapeur
  d'eau lourde
salle des échangeurs (de
  refroidissement d'urgence du
  cœur à basse et moyenne
  pression)
salle des soupapes de sûreté
salle de ventilation
salle du circuit des piscines
sas d'équipement
sas de secours
usine de traitement de l'eau
vestiaire chaud

4.4.4.3 Bâtiment de la turbine

salle de la bâche alimentaire
salle de remplissage de l'eau alimentaire
salle des condenseurs
salle des échangeurs d'ions du système de traitement de l'eau
salle des groupes (électrogènes) de secours
salle des onduleurs
salle des redresseurs
salle du dégazeur
salle du turbo-alternateur

4.4.4.4 Bâtiment du réacteur

fosse de la machine de chargement
hall du réacteur
plate-forme des mécanismes de réactivité
salle auxiliaire de la machine de chargement
salle de détection des ruptures de gaines
salle de la machine de chargement
salle de localisation des ruptures de gaines
salle de mélange du poison
salle de recueil d'eau lourde
salle des pompes de la machine de chargement
salle des pompes et des vannes d'appoint du caloporteur
salle des refroidisseurs en temps d'arrêt
salle des transmetteurs
salle des vannes de refroidissement d'urgence du cœur du réacteur
salle de transfert du combustible épuisé
salle du circuit d'eau lourde de la machine de chargement
salle du circuit des boucliers
salle du gaz de couverture
salle du modérateur
salle du pressuriseur
salle du réglage zonal

4.4.4.5 Auxiliaires (ou périphériques)

atelier des courants de Foucault
atelier des ultrasons
salle de coupe
salle de développement
  (photographique)
salle de préparation des
  échantillons
salle de radiographie
salle des auxiliaires du caloporteur
salle des microscopes
salle des pompes de secours

4.5 Recherche

aire d'essais
cage de Faraday
cellule d'essais
centre de commande
centre de recherche
enceinte mécano-climatique
galerie technique
hall d'essais
laboratoire
laboratoire de mécanique et de
  vibrations
laboratoire de résistance des
  matériaux
laboratoire de simulation
laboratoire Grande puissance
laboratoire Haute tension
local du tokamak
salle anéchoïque
salle climatique
salle de commande
salle (de distribution) des gaz
salle d'effet de couronne
salle de mesure
salle de montage
salle de pollution
salle des circuits d'essais
  synthétiques
salle d'essais
salle d'observation
station d'essais haute tension
station d'essais moyenne tension

Partie II

VOCABULAIRE

abri

Construction qui peut être ouverte sur un ou plusieurs côtés et munie d'un toit.

▶ *constructions et ensembles (1)*

abri d'instruments

Petite construction qui sert à protéger des instruments de mesure délicats.

▶ *constructions et ensembles (1)*
▶ *centrales hydroélectriques (4.4.1)*

aérodrome

Terrain aménagé pour le décollage et l'atterrissage des aéronefs.

▶ *constructions et ensembles (1)*

aérogare

Bâtiment d'un aéroport réservé aux voyageurs, aux marchandises, à l'administration et à certains services auxiliaires.

▶ *constructions et ensembles (1)*

aéroport

Ensemble d'installations nécessaires au trafic aérien.

▶ *constructions et ensembles (1)*

aile

Partie d'un bâtiment pouvant se distinguer du corps principal, dans son prolongement ou en retour d'équerre.

▶ *parties de bâtiment - généralités (2.1)*

aile de l'administration

Aile d'un bâtiment qui abrite les activités administratives.

▶ *administration (4.1)*
▶ *centrales thermiques classiques (4.4.2)*

aire

Portion limitée de surface extérieure ou intérieure réservée à une activité précise.

▶ *constructions et ensembles (1)*

26

aire d'avitaillement

Aire extérieure, aménagée ou non, où l'on procède à l'approvisionnement d'un aéronef en carburant.

▶ *lieux extérieurs - généralités (3.1)*

aire de chargement de camion

Aire intérieure où l'on procède au chargement ou au déchargement d'un camion.

▶ *parties de bâtiment – circulation (2.2)*

aire de manipulation du combustible neuf

Aire intérieure où l'on place les grappes de combustible neuf dans les chargeurs qui alimentent la machine de chargement du combustible.

▶ *centrales nucléaires – bâtiment des services (4.4.4.2)*

aire de manœuvre

Aire extérieure où se trouvent les organes de manœuvre d'un poste.

● L'expression «cour de manœuvre» est à éviter.

▶ *transport et distribution d'électricité (4.3)*

aire d'entreposage saisonnier

Aire intérieure où l'on range des objets pour un temps limité, généralement pour la durée d'une saison.

▶ *rangement (2.6)*

aire de repos

Aire extérieure aménagée pour permettre aux employés de prendre du repos pendant la belle saison, et où l'on peut également prendre des repas.

Voir aussi salle de repos.

▶ *lieux extérieurs – généralités (3.1)*

aire des condensateurs

Aire extérieure où sont situés les condensateurs d'un poste.

● L'expression «cour des condensateurs» est à éviter.

▶ *transport et distribution d'électricité (4.3)*

aire d'essais

Aire située à l'intérieur ou à l'extérieur d'un laboratoire, où l'on effectue des essais.

▶ *recherche (4.5)*

aire de stationnement

Aire extérieure réservée au stationnement des aéronefs dans un aéroport.

▶ *lieux extérieurs - transport et accès (3.2)*

aire de stationnement
Synonyme de parc de stationnement.

▶ *lieux extérieurs - transport et accès (3.2)*

aire de stockage des déchets radioactifs (ASDR)
Aire extérieure aménagée pour le dépôt des déchets radioactifs.

● L'expression «dépotoir radioactif» est à éviter.

▶ *centrales nucléaires - généralités (4.4.4.1)*

aire des transformateurs
Aire extérieure où sont situés les transformateurs de puissance d'un poste.

● L'expression «cour des transformateurs» est à éviter.

▶ *transport et distribution d'électricité (4.3)*

aire des ventilateurs de soutirage
Aire extérieure où sont situés les ventilateurs de soutirage.

▶ *centrales thermiques classiques (4.4.2)*

allée
Chemin assez large bordé d'arbres, de pelouse, de plates-bandes, etc.

▶ *lieux extérieurs - transport et accès (3.2)*

aménagement paysager
Synonyme de ceinture paysagère.

▶ *lieux extérieurs - généralités (3.1)*

amphithéâtre
Salle de conférences comportant des gradins ou un plancher incliné.

Voir aussi salle de conférences.

▶ *parties de bâtiment - généralités (2.1)*

annexe
Bâtiment ou pièce complétant ou agrandissant un autre bâtiment ou une autre pièce plus importante.

● L'expression «bâtiment accessoire» est à éviter.

▶ *constructions et ensembles (1)*

appentis
Petit bâtiment adossé ou non à un autre bâtiment, et généralement couvert d'un toit à une seule pente.

Voir aussi construction hors toit.

▶ *parties de bâtiment - généralités (2.1)*

appontement

Plate-forme sur pilotis, le long de laquelle s'amarrent les navires.

Voir aussi quai.

▶ *lieux extérieurs - transport et accès (3.2)*

archives

Lieu où sont conservés des documents et des dossiers.

▶ *administration (4.1)*

atelier

Bâtiment ou partie de bâtiment où l'on effectue l'entretien, la réparation, le montage, etc., des équipements de l'entreprise.

▶ *construction et entretien (4.2)*

atelier de bricolage

Atelier où l'on effectue de petits travaux manuels.

▶ *parties de bâtiment - généralités (2.1)*

atelier de commande et relais

Voir atelier électronique.

atelier de ferblanterie

Atelier où l'on effectue la fabrication, le façonnage et la réparation des objets en fer-blanc et en d'autres métaux minces.

▶ *construction et entretien (4.2)*

atelier de forge et de soudage

Atelier où l'on effectue le travail et le soudage des métaux.

● L'expression «atelier de soudure» est à éviter.

▶ *construction et entretien (4.2)*

atelier de grande puissance

Atelier où l'on effectue la réparation et les essais de l'appareillage de transport et de répartition, en particulier des gros transformateurs.

▶ *construction et entretien (4.2)*

atelier de la machine de chargement

Atelier où l'on effectue le montage, le démontage, la réparation et l'entretien de la machine de chargement du combustible.

▶ *centrales nucléaires - bâtiment des services (4.4.4.2)*

atelier de l'appareillage

Atelier où l'on effectue l'entretien et la réparation du matériel électrique servant à la production, au transport, à la répartition et à la distribution de l'énergie électrique.

▶ *construction et entretien (4.2)*

atelier de l'outillage
Atelier où l'on effectue l'entretien et la réparation des outils.

▶ *construction et entretien (4.2)*

atelier d'entretien
Atelier où l'on trouve le matériel, l'équipement et les outils nécessaires à l'entretien des bâtiments et des terrains.

▶ *construction et entretien (4.2)*

atelier d'entretien des lignes de transport
Voir atelier des lignes.

atelier de peinturage
Atelier où l'on effectue la pose et la vaporisation de revêtements de surface liquides sur divers objets.

▶ *construction et entretien (4.2)*

atelier de radiocommunications
Atelier où l'on installe ou vérifie les postes émetteurs-récepteurs à bord des véhicules.

● L'expression «atelier de radios mobiles» est à éviter.

▶ *construction et entretien (4.2)*

atelier de radioprotection
Ensemble de pièces où se fait l'entretien du matériel de radioprotection.

▶ *centrales nucléaires - bâtiment des services (4.4.4.2)*

atelier de radios mobiles
Voir atelier de radiocommunications.

atelier des compteurs
Atelier où l'on effectue la réparation et l'entretien des compteurs électriques.

▶ *construction et entretien (4.2)*

atelier des courants de Foucault
Atelier où l'on effectue la vérification, l'essai et l'étalonnage des appareils destinés à l'inspection par courants induits de diverses canalisations.

▶ *centrales nucléaires - auxiliaires (ou périphériques) (4.4.4.5)*

atelier des gants
Atelier où l'on effectue l'entretien, le nettoyage et la vérification des gants isolants.

▶ *construction et entretien (4.2)*

atelier des injecteurs
Atelier où l'on vérifie et répare les injecteurs de carburant des moteurs diesel.

▶ *centrales diesel (4.4.3)*

atelier des lignes
Atelier où les monteurs de lignes rangent et entretiennent leur matériel et leurs outils.

● L'expression «atelier d'entretien des lignes de transport» est à éviter.

▶ *construction et entretien (4.2)*

atelier des masques
Atelier où l'on effectue la vérification et l'entretien des masques utilisés dans une centrale nucléaire.

▶ *centrales nucléaires - bâtiment des services (4.4.4.2)*

ateliers des moteurs
Atelier où l'on effectue la vérification, l'entretien et la réparation des moteurs des petits appareils motorisés.

▶ *construction et entretien (4.2)*

atelier de soudure
Voir atelier de forge et de soudage.

atelier des pneus
Atelier où l'on effectue le montage, le démontage et la réparation des pneus ainsi que l'équilibrage des roues.

▶ *construction et entretien (4.2)*

ateliers des ultrasons
Atelier où l'on effectue la vérification, l'essai et l'étalonnage des appareils destinés à l'inspection ultrasonique de diverses pièces.

▶ *centrales nucléaires - auxiliaires (ou périphériques) (4.4.4.5)*

atelier des véhicules
Atelier où l'on effectue la réparation et l'entretien du parc automobile de l'entreprise.

▶ *construction et entretien (4.2)*

atelier d'instrumentation
Atelier où l'on effectue la réparation, l'entretien et l'étalonnage des instruments de mesure incorporés à une centrale.

▶ *centrales thermiques classiques (4.4.2)*

atelier électrique
Atelier où l'on effectue la vérification et la réparation de divers appareils électriques.

▶ *construction et entretien (4.2)*

atelier électronique
Atelier où l'on effectue la vérification, l'entretien et la réparation des instruments de mesure et de commande, des relais, des appareils de radiocommunications et de divers autres appareils fonctionnant à l'aide de circuits électroniques.

● Les expressions «atelier de commande et relais» et «salle de réparation du «hardware»» sont à éviter.

▶ *construction et entretien (4.2)*

atelier hydraulique
Atelier où l'on effectue la réparation et l'entretien des appareils munis de systèmes hydrauliques.

▶ *construction et entretien (4.2)*

atelier mécanique
Atelier où l'on façonne des objets à l'aide de machines-outils.

▶ *construction et entretien (4.2)*

balcon

Plate-forme en saillie sur la façade d'un bâtiment, protégée par un garde-corps et communiquant avec l'intérieur.

Voir aussi loggia.

▶ *lieux extérieurs - généralités (3.1)*

bar

Lieu où l'on consomme des boissons.

▶ *alimentation (2.5)*

bâtiment

Toute construction servant à abriter des personnes, des animaux ou des choses.

● Le terme «bâtisse» est à éviter.

▶ *constructions et ensembles (1)*

bâtiment accessoire

Voir annexe.

bâtiment administratif

Bâtiment où l'on effectue des tâches administratives.

Syn. : bâtiment de l'administration.

▶ *administration (4.1)*

bâtiment d'alimentation électrique d'urgence

Bâtiment où sont situés les groupes électrogènes destinés à assurer l'alimentation électrique d'urgence d'une installation en cas de tremblement de terre ou d'indisponibilité totale des circuits d'alimentation régulière ou de secours.

▶ *centrales nucléaires - bâtiment des services (4.4.4.2)*

bâtiment de commande

Bâtiment dont la fonction principale est d'abriter les organes de conduite et de surveillance d'un poste.

▶ *transport et distribution d'électricité (4.3)*

bâtiment de l'administration

Synonyme de bâtiment administratif.

▶ *administration (4.1)*

bâtiment de la turbine
Bâtiment où sont situés le turbo-alternateur, le poste d'eau, leurs auxiliaires ainsi que d'autres équipements nécessaires au fonctionnement de la centrale.

▶ *centrales nucléaires - généralités (4.4.4.1)*

bâtiment de l'eau de service recirculée
Bâtiment où est situé l'appareillage principal du système de refroidissement par eau de service recirculée (ESR).

▶ *centrales nucléaires - généralités (4.4.4.1)*

bâtiment de maintenance
Synonyme de bâtiment d'entretien (de l'appareillage).

▶ *transport et distribution d'électricité (4.3)*

bâtiment de manœuvre
Bâtiment où sont situés les mécanismes et l'appareillage destinés à ouvrir ou à fermer les circuits électriques.

▶ *transport et distribution d'électricité (4.3)*

bâtiment d'entretien (de l'appareillage)
Bâtiment où l'on effectue la réparation et l'entretien de l'appareillage d'un poste.

Syn. : bâtiment de maintenance.

● L'expression «bâtiment de service» est à éviter.

▶ *transport et distribution d'électricité (4.3)*

bâtiment de poste
Bâtiment où sont regroupées les activités de commande, de manœuvre, de relayage et de téléconduite ainsi que toute autre activité auxiliaire d'un poste.

▶ *transport et distribution d'électricité (4.3)*

bâtiment de radioécologie
Bâtiment où l'on prépare des échantillons prélevés aux abords d'une centrale nucléaire pour déterminer la quantité de radioactivité dans l'environnement.

▶ *centrales nucléaires - généralités (4.4.4.1)*

bâtiment de relayage
Bâtiment de faibles dimensions, proche de l'appareillage d'une cellule, où sont situés les équipements de protection et les automatismes relatifs à cette cellule.

▶ *transport et distribution d'électricité (4.3)*

bâtiment des compensateurs statiques
Bâtiment où est situé l'équipement utilisé pour compenser l'énergie réactive.

▶ *transport et distribution d'électricité (4.3)*

bâtiment des compresseurs
Bâtiment où sont situés les compresseurs qui produisent l'air comprimé nécessaire à un poste.

▶ *transport et distribution d'électricité (4.3)*

bâtiment de service
Voir bâtiment d'entretien (de l'appareillage).

bâtiment des inspections périodiques
Bâtiment qui abrite les services de vérification périodique des systèmes d'une centrale nucléaire.

▶ *centrales nucléaires - généralités (4.4.4.1)*

bâtiment des services
Bâtiment où sont situés la plupart des systèmes auxiliaires du réacteur qui ne sont pas dans l'enceinte de confinement.

▶ *centrales nucléaires - généralités (4.4.4.1)*

bâtiment des vannes
Bâtiment où sont situés les mécanismes qui permettent d'ouvrir ou de fermer les vannes qui règlent l'alimentation des conduites forcées.

Voir aussi cabine de vanne, chambre des vannes.

▶ *centrales hydroélectriques (4.4.1)*

bâtiment de téléconduite
Bâtiment où sont situés tous les organes nécessaires à l'émission et à la réception des informations relatives à la téléconduite.

▶ *transport et distribution d'électricité (4.3)*

bâtiment du réacteur
Bâtiment fermé qui entoure entièrement un réacteur nucléaire et les systèmes essentiels à son fonctionnement pour assurer le confinement des matières radioactives, même en cas d'accident du réacteur.

Syn. : enceinte de confinement, enceinte étanche.

▶ *centrales nucléaires - généralités (4.4.4.1)*

bâtiment du simulateur
Bâtiment où sont situés le simulateur de centrale nucléaire ainsi que des salles de cours, des bureaux, etc.

▶ *centrales nucléaires - généralités (4.4.4.1)*

bâtiment du système de refroidissement d'urgence haute pression
Bâtiment où sont situés les réservoirs et l'appareillage nécessaire au refroidissement d'urgence haute pression du cœur du réacteur.

▶ *centrales nucléaires - généralités (4.4.4.1)*

bâtiment mobile
Bâtiment monté en permanence sur des roues et qu'on peut déplacer tout d'une pièce.

Syn. : roulotte.

▶ *constructions et ensembles (1)*

bâtiment préfabriqué
Bâtiment dont la plupart des grands éléments sont fabriqués en usine ou dans un atelier de chantier.

▶ *constructions et ensembles (1)*

bâtiment principal
Bâtiment le plus important construit sur un terrain.

▶ *constructions et ensembles (1)*

bâtiment usiné
Bâtiment préfabriqué, partiellement ou complètement assemblé à l'usine et transporté à pied d'œuvre.

▶ *constructions et ensembles (1)*

bâtisse
Voir bâtiment.

belvédère
Construction ou terrasse établie en un lieu élevé, et d'où la vue s'étend au loin.

▶ *lieux extérieurs - généralités (3.1)*

bibliothèque
Local spécialement aménagé pour le classement, le rangement, la consultation et le prêt de livres et d'autres documents imprimés.

Voir aussi cartothèque, médiathèque, photothèque.

▶ *administration (4.1)*

buanderie
Lieu où est situé l'équipement servant au lavage, au séchage et à l'entretien du linge.

▶ *hygiène et santé (2.4)*

bureau
Bâtiment ou partie de bâtiment, y compris un poste de travail généralement fermé, où s'exercent les fonctions administratives et commerciales de l'entreprise.

▶ *administration (4.1)*

bureau collectif
Ensemble de plusieurs bureaux non séparés par des cloisons.

▶ *administration (4.1)*

bureau d'accueil
Emplacement où l'on reçoit la clientèle de l'entreprise.

▶ *administration (4.1)*

bureau médical
Voir centre médical.

bureau paysager
Ensemble de bureaux séparés par des cloisons amovibles de faible hauteur et, généralement, par des plantes vertes.

▶ *administration (4.1)*

cabine

Construction ou pièce de dimensions réduites.

▶ *parties de bâtiment - généralités (2.1)*

cabine d'ascenseur

Organe d'un ascenseur destiné à recevoir les personnes.

▶ *parties de bâtiment - circulation (2.2)*

cabine (de commande) du portique

Abri de l'opérateur sur un portique.

▶ *centrales hydroélectriques (4.4.1)*

cabine de décapage mécanique

Compartiment spécialement aménagé pour le décapage au jet de sable ou de grenaille.

Voir aussi cabine de sablage.

▶ *construction et entretien (4.2)*

cabine de douche

Compartiment fermé où est installée une douche.

▶ *hygiène et santé (2.4)*

cabine de peinturage

Pièce ou compartiment spécialement aménagé pour l'application de peinture au pistolet.

▶ *construction et entretien (4.2)*

cabine de projection

Petite pièce contiguë à une salle et abritant des appareils de projection cinématographique, audiovisuelle, etc.

▶ *administration (4.1)*

cabine de sablage

Compartiment spécialement et exclusivement aménagé pour le décapage au jet de sable.

Voir aussi cabine de décapage mécanique.

▶ *construction et entretien (4.2)*

cabine de soudage

Compartiment spécialement aménagé pour le soudage et délimité par des cloisons spéciales.

▶ *construction et entretien (4.2)*

cabine de vanne
Construction située au-dessus d'une vanne et abritant les mécanismes qui servent à l'ouvrir ou à la fermer.

Voir aussi bâtiment des vannes, chambre des vannes.

▶ *centrales hydroélectriques (4.4.1)*

cabinet (d'aisances)
Compartiment fermé où est installée une cuvette d'aisances.

Voir aussi toilettes.

▶ *hygiène et santé (2.4)*

cafétéria
Salle à manger où le client passe devant un comptoir pour choisir ses plats, se servir lui-même et les apporter à sa table.

Voir aussi cantine, casse-croûte, restaurant.

▶ *alimentation (2.5)*

cage de Faraday
Enceinte fermée, constituée de plaques métalliques ou d'un treillage à mailles serrées, ayant pour but de soustraire le volume intérieur à l'influence du champ électrique extérieur.

▶ *recherche (4.5)*

cage d'escalier
Espace vertical réservé au logement d'un escalier, y compris les parois qui limitent ce volume.

▶ *circulation (2.2)*

cantine
Emplacement où l'on sert à boire et à manger au personnel de l'entreprise ; par extension, ce terme désigne l'endroit où sont installées des distributrices d'aliments et de boissons.

Voir aussi cafétéria, casse-croûte, restaurant.

▶ *alimentation (2.5)*

cartothèque
Local où l'on conserve les cartes et les documents géographiques.

Voir aussi bibliothèque, médiathèque, photothèque.

▶ *administration (4.1)*

case
Compartiment servant au rangement.

Voir aussi casier.

▶ *rangement (2.6)*

casier
Ensemble de cases, de compartiments formant un meuble.

Voir aussi case.

▶ *rangement (2.6)*

casse-croûte

Petit restaurant où l'on sert rapidement des repas simples.

Voir aussi cafétéria, cantine, restaurant.

► *alimentation (2.5)*

cave

Sous-sol destiné à servir de réserve, de chaufferie et à tous usages autres que l'habitation.

Voir aussi sous-sol, vide sanitaire.

► *parties de bâtiment - généralités (2.1)*

ceinture paysagère

Bande de terrain entourant un ouvrage et aménagée à l'aide d'éléments naturels pour faciliter l'insertion de l'ouvrage au milieu.

Syn. : aménagement paysager.

► *lieux extérieurs - généralités (3.1)*

cellule

Dans un poste, travée ou partie de travée délimitée par des cloisons.

Voir aussi travée.

► *transport et distribution d'électricité (4.3)*

cellule d'essais

Enceinte protégée, destinée aux essais.

► *recherche (4.5)*

centrale

Nom générique d'installations dans lesquelles on opère certains traitements dont les résultats sont distribués en divers points d'utilisation (ex. : centrale de climatisation, centrale d'enrobage, centrale à air comprimé, etc.).

► *auxiliaires du bâtiment (2.3)*

centrale à air comprimé

Ensemble comprenant les compresseurs et autres appareils servant à produire et à distribuer de l'air comprimé dans un bâtiment ou une installation.

► *auxiliaires du bâtiment (2.3)*

centrale à turbine(s) à gaz

Centrale thermique qui produit de l'énergie électrique à partir de la combustion d'un gaz dans un turbomoteur.

► *production d'électricité (4.4)*

centrale de dépoussiérage

Ensemble comprenant les appareils servant à aspirer et à séparer de l'air ambiant les poussières et autres particules en suspension qui sont dégagées dans certains ateliers.

► *auxiliaires du bâtiment (2.3)*

centrale de pompage

Centrale hydroélectrique disposant d'un réservoir supérieur et d'un réservoir inférieur permettant de réaliser des cycles de pompage et de turbinage.

▶ *production d'électricité (4.4)*

centrale diesel
Centrale thermique qui produit de l'énergie électrique à partir de la combustion d'un hydrocarbure dans un moteur diesel.

▶ *production d'électricité (4.4)*

centrale (électrique)
Bâtiment ou ensemble de bâtiments où sont installés les groupes générateurs et les appareillages nécessaires à la production d'énergie électrique.

▶ *production d'électricité (4.4)*

centrale éolienne
Centrale produisant de l'énergie électrique à partir de l'énergie cinétique du vent.

▶ *production d'électricité (4.4)*

centrale hydroélectrique
Centrale dans laquelle l'énergie mécanique de l'eau est transformée en énergie électrique.

▶ *production d'électricité (4.4)*

centrale thermique
Centrale dans laquelle l'énergie électrique est produite par transformation d'une énergie thermique.

Syn. : centrale thermo-électrique.

▶ *production d'électricité (4.4)*

centrale thermique classique
Centrale thermique qui produit de l'énergie électrique à partir de la combustion d'un hydrocarbure ou de charbon dans une chaudière à vapeur.

▶ *production d'électricité (4.4)*

centrale (thermique) nucléaire
Centrale dans laquelle l'énergie thermique est obtenue par une réaction nucléaire.

▶ *production d'électricité (4.4)*

centrale thermo-électrique
Synonyme de centrale thermique.

▶ *production d'électricité (4.4)*

centre administratif
Ensemble localisé des bâtiments et du terrain où sont regroupées des activités administratives, commerciales et techniques nécessaires à la construction, à l'exploitation et à l'entretien des installations et de l'équipement d'un secteur ou d'un district.

● Les expressions «centre administratif et de service» et «centre de service» sont à éviter.

▶ *administration (4.1)*

centre administratif et de service

Voir centre administratif.

centre communautaire

Bâtiment réservé à diverses activités socioculturelles, sportives, etc., du personnel de l'entreprise en territoire éloigné des centres d'habitation.

▶ *constructions et ensembles (1)*

centre d'accueil

Bâtiment ou local où l'on reçoit et l'on renseigne les visiteurs de certaines installations de l'entreprise.

● L'expression «centre d'information» est à éviter dans ce sens.

▶ *administration (4.1)*

centre de calcul

Synonyme de centre informatique.

▶ *administration (4.1)*

centre de commande

Local où s'effectuent la liaison entre le réseau d'alimentation et les salles d'essais, l'établissement des circuits d'essais, la télécommande des appareils et la surveillance des installations.

● L'expression «salle de commande générale» est à éviter.

▶ *recherche (4.5)*

centre de conduite du réseau (CCR)

Partie de bâtiment où s'effectue la conduite du réseau de production et de transport au niveau de l'entreprise, y compris les transactions avec les réseaux voisins.

▶ *transport et distribution d'électricité (4.3)*

centre de contrôle

Voir poste de garde.

centre de décontamination

Ensemble de locaux où l'on enlève par divers procédés les contaminants radioactifs qui se trouvent sur les appareils ou l'équipement utilisés dans une centrale nucléaire.

▶ *centrales nucléaires - bâtiment des services (4.4.4.2)*

centre de diffusion

Pièce(s) aménagée(s) pour la présentation et la distribution de documents de diverses natures.

Voir aussi centre de documentation.

▶ *administration (4.1)*

centre de distribution
Installation relevant d'un centre administratif, comprenant principalement un magasin et un garage, et implantée pour assurer la construction et l'entretien du réseau de distribution en territoire éloigné.

▶ *construction et entretien (4.2)*

centre de documentation
Pièce aménagée pour le rangement et la consultation de documents de diverses natures.

Voir aussi centre de diffusion.

▶ *administration (4.1)*

centre de formation
Local ou ensemble de locaux où l'on donne des cours de spécialisation au personnel de l'entreprise.

▶ *administration (4.1)*

centre de recherche
Ensemble d'installations où s'exercent des fonctions de recherche, de développement et d'expérimentation.

▶ *recherche (4.5)*

centre de récupération
Bâtiment(s) et terrain servant à la récupération des métaux, des équipements et des matériaux déclarés en excédent.

▶ *construction et entretien (4.2)*

centre de santé
Voir centre médical.

centre de service
Voir centre administratif.

centre d'exploitation de distribution (CED)
Partie de bâtiment où s'effectue la conduite du réseau de distribution d'une région, d'un secteur ou de plusieurs secteurs, à l'exclusion des réseaux non reliés et du réseau des îles de la Madeleine.

▶ *transport et distribution d'électricité (4.3)*

centre d'exploitation régional (CER)
Bâtiment ou partie de bâtiment où s'effectuent la conduite du réseau de transport délégué et du réseau de répartition ainsi que la télécommande des installations.

▶ *transport et distribution d'électricité (4.3)*

centre d'information
Voir centre d'accueil.

centre informatique
Ensemble des installations, y compris les ordinateurs, où s'effectuent les travaux de traitement de l'information.

Syn. : centre de calcul.

▶ *administration (4.1)*

centre médical

Local ou ensemble de locaux où l'on dispense divers services médicaux (consultation, examen, soins, etc.) aux employés de l'entreprise.

Voir aussi infirmerie, poste de (premiers) secours.

● Les expressions «bureau médical», «centre de santé» et «service de santé» sont à éviter.

▶ *hygiène et santé (2.4)*

chambre

Terme générique désignant une pièce spécialement aménagée.

▶ *parties de bâtiment - généralités (2.1)*

chambre (à coucher)

Pièce d'une habitation où l'on couche.

▶ *parties de bâtiment - généralités (2.1)*

chambre annexe

Voir chambre des transformateurs.

chambre à ordures (ménagères)

Pièce ordinairement réfrigérée où l'on entrepose les ordures en attendant leur enlèvement.

● Les expressions «déchets», «salle (de récupération) des rebuts» et «salle des déchets (ou des rebuts)» sont à éviter.

▶ *alimentation (2.5)*

chambre d'échappement

Pièce vers laquelle est dirigé l'air chaud produit par le système de refroidissement d'un alternateur.

▶ *centrales hydroélectriques (4.4.1)*

chambre de congélation

Voir congélateur-chambre.

chambre des huiles

Pièce abritant des réservoirs d'huile isolante ainsi que les pompes et les robinets en permettant l'acheminement.

▶ *construction et entretien (4.2)*

chambre des pompes (à mazout)

Pièce où sont situés les réchauffeurs et les pompes à mazout qui alimentent les brûleurs des chaudières.

▶ *centrales thermiques classiques (4.4.2)*

chambre des transformateurs

Pièce spécialement isolée et aménagée pour abriter des transformateurs dans un bâtiment.

● L'expression «chambre annexe» est à éviter dans ce sens.

▶ *auxiliaires du bâtiment (2.3)*

chambre des vannes
Dans une centrale souterraine, pièce où sont situés les mécanismes qui permettent d'ouvrir ou de fermer les vannes.

Voir aussi bâtiment des vannes, cabine de vanne.

▶ *centrales hydroélectriques (4.4.1)*

chambre du réservoir d'huile de lubrification
Pièce où est situé le réservoir d'huile servant à la lubrification des machines de la centrale.

▶ *centrales thermiques classiques (4.4.2)*

chambre électrique
Voir salle de distribution électrique.

chambre forte
Pièce blindée, d'accès limité, à l'épreuve du feu et du vol, où sont conservés certains documents ou objets de valeur.

▶ *administration (4.1)*

chambre froide
Pièce isolée thermiquement et dont la température est artificiellement abaissée.

▶ *alimentation (2.5)*

chambre noire
Pièce obscure aménagée pour le traitement et le tirage de photographies.

▶ *administration (4.1)*

champ d'épuration
Voir station d'épuration.

chantier
Endroit où l'on procède à des travaux de construction.

▶ *constructions et ensembles (1)*

chaufferie
Local où sont situés les appareils de chauffage.

● L'expression «salle de mécanique» est à éviter.

▶ *auxiliaires du bâtiment (2.3)*

chaufferie
Local où sont situés les générateurs de vapeur et leur appareillage auxiliaire.

● L'expression «salle des chaudières» est à éviter.

▶ *centrales thermiques classiques (4.4.2)*

chaufferie auxiliaire
Local où sont situées les chaudières qu'on utilise pour chauffer les bâtiments de la centrale lorsque la chaufferie principale ne fonctionne pas.

Voir aussi salle des machines.

● L'expression «salle de mécanique» est à éviter.

▶ *centrales thermiques classiques (4.4.2)*

chemin
Voie de communication d'intérêt local et d'importance secondaire par rapport à la route.

▶ *lieux extérieurs - transport et accès (3.2)*

comble
Partie supérieure d'un bâtiment comprenant l'ensemble de la charpente et de la couverture ainsi que l'espace ainsi créé.

Voir aussi vide sous toit.

● Le terme «entretoit» est à éviter.

▶ *parties de bâtiment - généralités (2.1)*

compartiment
Division pratiquée dans un espace.

▶ *parties de bâtiment - généralités (2.1)*

compartiment de ballastage
Compartiment du sous-sol d'un bâtiment de centrale construit en terrain instable, qui peut être chargé d'une quantité variable d'eau ou de matériaux de remblayage pour équilibrer les pressions sous le radier.

▶ *centrales thermiques classiques (4.4.2)*

complexe
Construction ou installation formée de nombreux éléments coordonnés.

▶ *constructions et ensembles (1)*

congélateur-chambre
Petite pièce pour produits congelés, dans laquelle on peut pénétrer.

● L'expression «chambre de congélation» est à éviter.

▶ *alimentation (2.5)*

construction hors toit
Construction formant enceinte sur le toit d'un bâtiment.

Voir aussi appentis.

▶ *parties de bâtiment - généralités (2.1)*

corridor
Synonyme de couloir.

▶ *parties de bâtiment - circulation (2.2)*

corridor antisismique
Passage conçu spécialement pour permettre l'accès aux organes essentiels d'une centrale nucléaire en cas de tremblement de terre.

▶ *centrales nucléaires - bâtiment des services (4.4.4.2)*

couloir
Passage long et étroit permettant de desservir plusieurs pièces à partir d'une entrée ou de les faire communiquer entre elles.

Syn. : corridor.

Voir aussi dégagement, entrée, passage.

▶ *parties de bâtiment - circulation (2.2)*

cour
Espace découvert, délimité par des murs, des clôtures ou des bâtiments.

▶ *lieux extérieurs - généralités (3.1)*

cour à matériaux
Cour où sont entreposés les matériaux qui peuvent être exposés aux intempéries.

▶ *construction et entretien (4.2)*

cour de manœuvre
Voir aire de manœuvre.

cour des condensateurs
Voir aire des condensateurs.

cour des transformateurs
Voir aire des transformateurs.

courette
Petite cour, généralement entourée de bâtiments sur trois côtés.

▶ *lieux extérieurs - généralités (3.1)*

courrier
Voir messagerie.

cuisine
Pièce aménagée pour la préparation et la cuisson des aliments.

▶ *alimentation (2.5)*

cuisinette
Partie d'une pièce utilisée comme cuisine.

▶ *alimentation (2.5)*

débarras

Emplacement où l'on met des objets encombrants ou peu utilisés.

▶ *rangement (2.6)*

déchets

Voir chambre à ordures (ménagères).

dégagement

Partie d'un bâtiment servant à faire communiquer une pièce avec une autre.

Voir aussi couloir, entrée, passage.

▶ *parties de bâtiment - circulation (2.2)*

dépanneur

Petit magasin où l'on vend de nombreux produits de consommation courante et qui reste ouvert le soir et le dimanche.

▶ *alimentation (2.5)*

dépendance

Bâtiment ou terre se rattachant à un autre bâtiment.

▶ *constructions et ensembles (1)*

dépôt

Emplacement où l'on conserve des matériaux ou du matériel pour utilisation ultérieure.

Voir aussi entrepôt.

▶ *rangement (2.6)*

dépôt de matières dangereuses

Pièce ventilée, réservée à l'entreposage de bidons d'essence ou de solvants, ou d'autres produits qui présentent des risques tels que l'incendie, l'explosion, etc.

▶ *construction et entretien (4.2)*

dépotoir radioactif

Voir aire de stockage des déchets radioactifs (ASDR).

école de monteurs
    Ensemble des installations où
    l'on donne des cours spécialisés
    aux monteurs de lignes.

▶ *administration (4.1)*

édifice
    Bâtiment, ouvrage architectural
    aux proportions importantes.

▶ *constructions et ensembles (1)*

embarcadère
    Voir quai de chargement.

**emplacement de
stationnement**
    Espace réservé au
    stationnement d'un véhicule.

▶ *lieux extérieurs - transport et
    accès (3.2)*

enceinte de confinement
    Synonyme de bâtiment du
    réacteur.

▶ *centrales nucléaires -
    généralités (4.4.4.1)*

enceinte étanche
    Synonyme de bâtiment du
    réacteur.

▶ *centrales nucléaires -
    généralités (4.4.4.1)*

enceinte mécano-climatique
    Volume clos spécialement
    aménagé dans lequel on évalue
    la résistance mécanique
    d'éléments d'appareillage
    soumis aux variations de divers
    paramètres climatiques.

▶ *recherche (4.5)*

entrée
    Espace où donne la porte
    d'accès d'un bâtiment et qui
    dessert les autres pièces et
    couloirs.

    Voir aussi couloir, dégagement,
    passage.

▶ *parties de bâtiment - circulation
    (2.2)*

entrepôt
    Bâtiment ou espace à l'intérieur
    d'un bâtiment, où l'on met des
    matériaux ou du matériel en
    dépôt pour un temps limité.

    Voir aussi dépôt.

▶ *rangement (2.6)*

entretoit
Voir comble, vide sous toit.

espace
Aire ou volume délimité
matériellement ou
virtuellement.

▶ *constructions et ensembles (1)*

étage
Espace compris entre deux
planchers consécutifs ou entre
un plancher et une toiture.

Voir aussi niveau.

▶ *parties de bâtiment - généralités
(2.1)*

fossé

Cavité plus ou moins profonde, longue et continue, pratiquée pour clore quelque espace de terre ou pour faciliter l'écoulement des eaux.

▶ *lieux extérieurs - généralités (3.1)*

fosse de décuvage

Cavité où l'on place un transformateur pour extraire le noyau de la cuve et recueillir l'huile isolante.

▶ *construction et entretien (4.2)*

fosse de la machine de chargement

Cavité remplie d'eau, située à l'intérieur du bâtiment du réacteur et dans laquelle on met la machine de chargement du combustible en cas d'urgence.

▶ *centrales nucléaires - bâtiment du réacteur (4.4.4.4)*

gaine d'ascenseur (ou de monte-charge)

Volume cloisonné dans lequel se déplacent la cabine d'un ascenseur (ou d'un monte-charge) et le contrepoids, s'il en existe un.

▶ *parties de bâtiment - circulation (2.2)*

gaine technique

Espace prévu dans un bâtiment pour y rassembler les colonnes verticales d'alimentation ou d'évacuation (eau, gaz, électricité, téléphone, eaux usées, eaux vannes) afin d'en faciliter l'accès.

Voir aussi galerie technique, vide technique.

▶ *auxiliaires du bâtiment (2.3)*

galerie

Large passage couvert, soit à l'intérieur, soit à l'extérieur d'un bâtiment ou d'une salle ; désigne également un passage souterrain.

▶ *parties de bâtiment - circulation (2.2)*

galerie d'accès des turbines

Galerie qui permet de se rendre jusqu'aux turbines et à leur appareillage.

▶ *centrales hydroélectriques (4.4.1)*

galerie des câbles électriques

Galerie où sont installés les câbles électriques ou les câbles qui portent les signaux de télécommande et de télémesure de la salle de commande aux tableaux de commande des alternateurs dans une centrale.

▶ *centrales hydroélectriques (4.4.1)*

galerie des canalisations (groupes, transformateurs)

Galerie d'une centrale souterraine où sont installées les canalisations (groupes, transformateurs).

▶ *centrales hydroélectriques (4.4.1)*

galerie des tableaux
Galerie permettant l'accès aux tableaux de commande et de mesure des groupes générateurs.

▶ *centrales hydroélectriques (4.4.1)*

galerie de visite
Galerie permettant l'accès aux conduites forcées, aux vides d'un barrage ou à des espaces autrement inaccessibles, pour l'inspection et l'entretien.

▶ *centrales hydroélectriques (4.4.1)*

galerie technique
Galerie prévue dans un bâtiment pour y rassembler les canalisations de distribution (eau, gaz, électricité, téléphone, ventilation, etc.) afin d'en faciliter l'accès.

Voir aussi gaine technique, vide technique.

▶ *recherche (4.5)*

garage (de stationnement)
Bâtiment ou partie de bâtiment destinée principalement au stationnement des véhicules.

● L'expression «remise de véhicule» est à éviter.

▶ *administration (4.1)*

garde-manger
Petite pièce attenante à la cuisine, où l'on conserve les aliments.

▶ *alimentation (2.5)*

garde-robe
Armoire dans laquelle on range des vêtements.

Voir aussi penderie, placard, vestiaire.

▶ *rangement (2.6)*

gare des râcleurs
Construction située à l'extrémité d'un oléoduc et qui abrite les appareils d'entretien de cette canalisation (râcleurs, accessoires, etc.).

▶ *centrales diesel (4.4.3)*

guérite
Abri où un gardien se met à couvert.

Voir aussi poste de garde.

▶ *auxiliaires du bâtiment (2.3)*

gymnase
Grande salle aménagée pour la pratique d'activités physiques et pourvue des appareils nécessaires.

▶ *parties de bâtiment - généralités (2.1)*

hall de montage
> Partie d'une centrale ou d'une installation où l'on dépose les éléments des groupes générateurs ou autres gros appareils pour le démontage, l'entretien, les réparations, etc.

▶ *construction et entretien (4.2)*
▶ *centrales hydroélectriques (4.4.1)*

hall (d'entrée)
> Espace de circulation intérieur de grandes dimensions, situé à l'entrée d'un bâtiment.

Voir aussi vestibule.

▶ *parties de bâtiment - circulation (2.2)*

hall d'essais
> Très grande salle d'essais.

▶ *recherche (4.5)*

hall du réacteur
> Grande pièce qui constitue l'aire d'accès principale du bâtiment du réacteur.

▶ *bâtiment du réacteur (4.4.4.4)*

hangar
> Construction, parfois close, formée d'un toit reposant sur des piliers ou des poteaux et destinée à servir d'abri.

▶ *rangement (2.6)*

héliport
> Aire aménagée au niveau du sol ou sur une terrasse et réservée à l'atterrissage et au décollage des hélicoptères.

▶ *lieux extérieurs - transport et accès (3.2)*

hélisurface
> Aire de décollage et d'atterrissage sommaire, destinée à être utilisée temporairement ou occasionnellement par les hélicoptères.

▶ *lieux extérieurs - transport et accès (3.2)*

îlot
Petit groupe de maisons isolées des autres constructions.

▶ *constructions et ensembles (1)*

îlot
Dans une résidence, ensemble comprenant des chambres groupées autour d'un espace commun à tous les habitants de ces chambres ainsi que cet espace.

▶ *parties de bâtiment - généralités (2.1)*

îlot
Élément ayant une unité, un caractère particulier, mais isolé au sein d'un ensemble plus vaste et de nature différente.

▶ *lieux extérieurs - généralités (3.1)*

îlot
Plusieurs bureaux regroupés dans un aménagement paysager.

▶ *administration (4.1)*

îlot à essence
Synonyme de poste d'essence.

▶ *lieux extérieurs - transport et accès (3.2)*

immeuble
Grand bâtiment à plusieurs étages.

▶ *constructions et ensembles (1)*

imprimerie
Lieu où sont situées les machines utilisées pour la production d'imprimés.

Voir aussi salle de reprographie.

▶ *administration (4.1)*

infirmerie
Local où du personnel infirmier peut donner certains soins aux malades ou aux blessés.

Voir aussi centre médical, poste de (premiers) secours.

▶ *hygiène et santé (2.4)*

kiosque d'avitaillement

Petite construction abritant les appareils qui servent à l'alimentation en carburant des aéronefs.

Voir aussi poste d'avitaillement.

▶ *lieux extérieurs - transport et accès (3.2)*

laboratoire

Local aménagé pour les recherches, les expériences scientifiques, les essais industriels, les travaux photographiques, etc.

▶ *parties de bâtiment - généralités (2.1)*
▶ *recherche (4.5)*

laboratoire de chimie

Laboratoire où l'on effectue des recherches portant sur la chimie de l'eau et sur le nettoyage chimique des équipements d'une centrale nucléaire.

▶ *centrales nucléaires - bâtiment des services (4.4.4.2)*

laboratoire de contrôle

Laboratoire où l'on effectue l'analyse d'échantillons d'eau ou d'air pour vérifier leur teneur en substances nocives.

▶ *centrales thermiques classiques (4.4.2)*

laboratoire de mécanique et de vibrations

Laboratoire où l'on effectue des recherches et des essais sur les vibrations et le comportement statique ou dynamique des conducteurs, des isolateurs et des supports de lignes aériennes.

▶ *recherche (4.5)*

laboratoire de résistance des matériaux

Laboratoire où l'on effectue les divers essais qui servent à déterminer les propriétés mécaniques des matériaux.

▶ *recherche (4.5)*

laboratoire des huiles

Laboratoire où l'on analyse les propriétés physiques ou chimiques des huiles isolantes utilisées dans les transformateurs, les disjoncteurs, etc.

▶ *construction et entretien (4.2)*

laboratoire de simulation

Laboratoire où sont situés des éléments de réseaux à échelle réduite, des tableaux d'interconnexion et des systèmes d'ordinateurs permettant la création et l'étude de modèles de réseaux de transport d'électricité.

▶ *recherche (4.5)*

laboratoire de télécommunications

Laboratoire où l'on effectue la vérification, l'entretien et la réparation de l'équipement de radiocommunications et de divers appareils de télécommunications.

▶ *construction et entretien (4.2)*

laboratoire Grande puissance

Ensemble des laboratoires et des aires extérieures où l'on effectue des essais relatifs aux phénomènes de puissance électrique, tels les arcs et les courts-circuits, sur diverses pièces d'appareillage.

▶ *recherche (4.5)*

laboratoire Haute tension

Ensemble des laboratoires et des aires extérieures où l'on effectue des essais sur les lignes et les matériels électriques à des hautes tensions pouvant atteindre 1 500 kV.

▶ *recherche (4.5)*

laboratoires de radioprotection

Laboratoires où l'on effectue différentes mesures : dosimétrie, contrôle de l'environnement, contrôle radiologique en centrale et mesure de rayonnements ionisants.

▶ *centrales nucléaires - généralités (4.4.4.1)*

lave-auto

Espace spécialement aménagé pour le lavage des véhicules à l'eau ou à la vapeur et, dans certains cas, muni d'un système d'aspirateur central.

▶ *construction et entretien (4.2)*

laverie (de cuisine)

Pièce ou aire attenante à la cuisine et spécialement aménagée pour le nettoyage de la vaisselle.

▶ *alimentation (2.5)*

lingerie

Local où l'on range le linge (draps, serviettes, etc.).

▶ *rangement (2.6)*

local

Partie d'un bâtiment à destination déterminée.

▶ *parties de bâtiment - généralités (2.1)*

local d'entretien

Local de petites dimensions abritant des produits et du matériel d'entretien ménager et généralement un évier profond.

- L'expression «salle d'entretien» est à éviter.

▶ *auxiliaires du bâtiment (2.3)*

local des machines

Local où se trouvent les machines d'un ascenseur ou leur appareillage.

▶ *auxiliaires du bâtiment (2.3)*

local des poulies

Local où se trouvent les poulies d'un ascenseur et, dans certains cas, l'appareillage électrique et les limiteurs de vitesse.

▶ *auxiliaires du bâtiment (2.3)*

local des sources

Local où l'on conserve des sources émettrices de rayonnements ionisants.

▶ *centrales nucléaires - bâtiment des services (4.4.4.2)*

local du réseau d'extincteurs automatiques à eau

Local où sont situés la prise d'eau, les vannes de commande et les manomètres du réseau d'extincteurs automatiques à eau d'un bâtiment.

- Les expressions «salle d'entrée d'eau» et «salle des gicleurs» sont à éviter dans ce sens.

▶ *auxiliaires du bâtiment (2.3)*

local du tokamak

Local où est située une machine du type tokamak utilisée dans la recherche sur l'énergie thermonucléaire.

▶ *recherche (4.5)*

local électrique

Local de petites dimensions où sont situés un ou des tableaux de branchement ou de dérivation et, dans certains cas, les compteurs et autres appareils connexes.

Voir aussi salle de distribution électrique.

- Les expressions «placard électrique», «placard satellite» et «satellite électrique» sont à éviter.

▶ *auxiliaires du bâtiment (2.3)*

local technique

Terme générique désignant un local ou un espace prévu dans un bâtiment pour loger des installations techniques telles que les appareils de conditionnement d'air ou de chauffage, les installations électriques, les pompes, les compresseurs et les incinérateurs.

- L'expression «salle de mécanique» est à éviter.

▶ *auxiliaires du bâtiment (2.3)*

local téléphonique

Local de petites dimensions où sont situés les tableaux de branchement des fils téléphoniques ou d'autres appareils connexes.

- L'expression «placard téléphonique» est à éviter.

▶ *auxiliaires du bâtiment (2.3)*

logement

Local à usage d'habitation.

▶ *parties de bâtiment - généralités (2.1)*

loggia

Plate-forme en retrait de la façade d'un bâtiment, protégée par un garde-corps et communiquant avec l'intérieur.

Voir aussi balcon.

▶ *lieux extérieurs - généralités (3.1)*

lot

Fonds de terre formant l'unité cadastrale.

▶ *lieux extérieurs - généralités (3.1)*

magasin
Local où l'on conserve et distribue des matériaux, du matériel ou de l'équipement figurant à l'inventaire.

▶ *rangement (2.6)*

magasin d'outillage
Local où l'on distribue les outils aux employés et où on les met en lieu sûr lorsqu'ils ne servent pas.

▶ *construction et entretien (4.2)*

maison
Bâtiment dont l'usage est particulièrement réservé à l'habitation.

▶ *constructions et ensembles (1)*

maison mobile
Habitation fabriquée à l'usine et transportable, conçue pour être déplacée sur ses propres roues et pouvant être installée sur des roues, des vérins, des poteaux et piliers ou sur une fondation permanente.

▶ *constructions et ensembles (1)*

médiathèque
Local où l'on conserve des documents se rapportant à la communication (disques, films, photos, etc.).

Voir aussi bibliothèque, cartothèque, photothèque.

▶ *administration (4.1)*

menuiserie
Local équipé principalement pour le travail du bois.

▶ *construction et entretien (4.2)*

messagerie
Pièce où sont situés les services de transport, de tri et de distribution du courrier, des documents et des colis.

- Le terme «courrier» est à éviter.

▶ *administration (4.1)*

mezzanine
Étage partiel intermédiaire entre le plancher et le plafond d'un étage de grande hauteur.

▶ *parties de bâtiment - généralités (2.1)*

niveau

Étage d'un bâtiment.
Note : On utilise généralement ce terme lorsqu'il existe dans un bâtiment plusieurs planchers décalés les uns par rapport aux autres, et que la distance verticale entre ces planchers est inférieure à la hauteur d'un étage normal.

Voir aussi étage.

► *parties de bâtiment - généralités (2.1)*

palier
Plate-forme entre deux volées d'un escalier ou en haut d'un perron.

▶ *parties de bâtiment - circulation (2.2)*

papeterie
Local où l'on conserve et distribue le papier, les articles et les fournitures de bureau.

▶ *administration (4.1)*

parc
Étendue de terrain aménagée de pelouse, d'arbres, de fleurs, de bancs, etc., et utilisée pour la promenade ou le repos.

▶ *lieux extérieurs - généralités (3.1)*

parc à mazout
Aire extérieure où sont situés les réservoirs de mazout.

▶ *centrales thermiques classiques (4.4.2)*

parc des radiateurs
Aire extérieure où sont situés les échangeurs de chaleur qui servent à refroidir des moteurs diesel.

▶ *centrales diesel (4.4.3)*

parc de stationnement
Espace destiné à garer les véhicules pendant une durée le plus souvent limitée.

Syn. : aire de stationnement.

● Les termes «parking» et «stationnement» sont à éviter.

▶ *lieux extérieurs - transport et accès (3.2)*

parking
Voir parc de stationnement.

passage
Espace matérialisé ou non qui permet de se déplacer d'un lieu à un autre.

Voir aussi couloir, dégagement, entrée.

▶ *parties de bâtiment - circulation (2.2)*

passerelle

Plate-forme étroite à une certaine hauteur au-dessus du sol, qui permet l'accès à des machines ou à de l'équipement.

▶ *parties de bâtiment - circulation (2.2)*

penderie

Petite pièce où l'on suspend des vêtements.

Voir aussi garde-robe, placard, vestiaire.

▶ *rangement (2.6)*

perron

Ensemble de marches, dont la dernière forme palier, en avant d'une porte d'entrée.

▶ *lieux extérieurs - généralités (3.1)*

photothèque

Local où l'on conserve les photos.

Voir aussi bibliothèque, cartothèque, médiathèque.

▶ *administration (4.1)*

pièce

Espace clos comportant une ou plusieurs ouvertures.

▶ *parties de bâtiment - généralités (2.1)*

piscine du combustible défectueux

Local où est situé un bassin rempli d'eau dans lequel on stocke du combustible nucléaire défectueux.

▶ *centrales nucléaires - bâtiment des services (4.4.4.2)*

piscine du combustible épuisé

Local où est situé un bassin rempli d'eau dans lequel on stocke du combustible nucléaire épuisé.

▶ *centrales nucléaires - bâtiment des services (4.4.4.2)*

piste

Dans un poste, dégagement qui permet l'accès à l'appareillage.

▶ *lieux extérieurs - transport et accès (3.2)*

placard

Enfoncement dans un mur ou une cloison, fermé par une porte et constituant une armoire fixe.

Voir aussi garde-robe, penderie, vestiaire.

▶ *rangement (2.6)*

placard électrique

Voir local électrique.

placard satellite

Voir local électrique.

placard téléphonique

Voir local téléphonique.

plate-forme de posé

Surface plane d'un héliport au centre de laquelle atterrissent les hélicoptères.

► *lieux extérieurs - transport et accès (3.2)*

plate-forme des mécanismes de réactivité

Partie de la salle des chaudières, située directement au-dessus du réacteur, où sont installés les mécanismes de levage et d'abaissement des barres absorbantes qui contrôlent la réactivité.

► *centrales nucléaires - bâtiment du réacteur (4.4.4.4)*

porche

Emplacement couvert à l'entrée d'un bâtiment.

► *lieux extérieurs - généralités (3.1)*

portique

Galerie ouverte soutenue par deux rangées de colonnes ou par un mur et une rangée de colonnes.

► *lieux extérieurs - généralités (3.1)*

poste d'avitaillement

Emplacement où sont situés les équipements pour l'entreposage, la filtration et la distribution du carburant dans les aéroports et les héliports.

Voir aussi kiosque d'avitaillement.

► *lieux extérieurs - transport et accès (3.2)*

poste de conception assistée par ordinateur

Emplacement où sont situés les terminaux spéciaux (console de dessin, table de saisie) utilisés pour la conception assistée par ordinateur (CAO).

► *administration (4.1)*

poste de conversion

Poste comprenant des convertisseurs et dont la fonction principale consiste à convertir le courant alternatif en courant continu ou le courant continu en courant alternatif.

Syn. : station de conversion.

► *transport et distribution d'électricité (4.3)*

poste de déminéralisation

Partie de bâtiment qui abrite les installations qui servent à retirer les minéraux nocifs de l'eau destinée à la production de vapeur dans les chaudières.

► *centrales thermiques classiques (4.4.2)*

poste de distribution

Poste abaisseur faisant entièrement partie du réseau de distribution.

▶ *transport et distribution d'électricité (4.3)*

poste de garde

Petit bâtiment ou pièce réservée aux gardiens d'une installation ou d'un bâtiment, et où sont situés les dispositifs de surveillance et de protection.

Voir aussi guérite.

● L'expression «centre de contrôle» est à éviter dans ce sens.

▶ *auxiliaires du bâtiment (2.3)*

poste de pompage

Voir station de pompage.

poste de (premiers) secours

Local où l'on administre, en cas d'urgence, des soins et des médicaments aux blessés et aux malades.

Voir aussi centre médical, infirmerie.

● Les expressions «premiers soins» et «unité de secours» sont à éviter.

▶ *hygiène et santé (2.4)*

poste de répartition

Poste de sectionnement ou de transformation du réseau de répartition servant à alimenter d'autres postes de répartition ou des postes de distribution.

▶ *transport et distribution d'électricité (4.3)*

poste de sectionnement

Poste ne comportant pas de transformateur de puissance, mais seulement des organes de manœuvre et généralement des jeux de barres.

▶ *transport et distribution d'électricité (4.3)*

poste d'essence

Emplacement où sont situées les pompes de distribution de carburant.

Syn. : îlot à essence.

▶ *lieux extérieurs - transport et accès (3.2)*

poste de traitement de textes

Emplacement où sont situés les appareils servant au traitement informatisé des textes.

▶ *administration (4.1)*

poste de transformation

Poste comprenant des transformateurs permettant l'interconnexion de deux réseaux ou plus, à des tensions différentes.

▶ *transport et distribution d'électricité (4.3)*

poste de transport

Poste faisant partie du réseau de transport.

▶ *transport et distribution d'électricité (4.3)*

poste de travail

Emplacement aménagé spécialement pour l'exécution d'un travail défini par une personne.

▶ *administration (4.1)*

poste (électrique)

Installation située au confluent de plusieurs lignes électriques et qui contient de l'appareillage destiné à modifier certaines caractéristiques du réseau électrique auquel elle est reliée, en fonction des contraintes d'exploitation.

● L'expression «sous-station» est à éviter dans ce sens.

▶ *transport et distribution d'électricité (4.3)*

poste extérieur

Poste conçu et installé pour supporter les intempéries.

▶ *transport et distribution d'électricité (4.3)*

poste intérieur

Poste installé à l'intérieur d'un bâtiment, à l'abri des intempéries.

▶ *transport et distribution d'électricité (4.3)*

poste souterrain

Poste construit dans un local souterrain.

▶ *transport et distribution d'électricité (4.3)*

poste surbaissé

Poste de répartition où les jeux de barres sont surbaissés et où les charpentes métalliques sont conçues avec le souci d'une meilleure apparence visuelle.

▶ *transport et distribution d'électricité (4.3)*

premiers soins

Voir poste de (premiers) secours.

puits

Excavation verticale ou inclinée, exécutée dans le sol et permettant le passage ou le travail d'une personne.

▶ *lieux extérieurs - généralités (3.1)*

puits (d'un groupe turbine-alternateur)

Cavité aménagée sous le plancher de la salle des alternateurs et destinée à loger un groupe turbine-alternateur.

▶ *centrales hydroélectriques (4.4.1)*

quai
> Ouvrage d'accostage d'un port, constitué par un mur de soutènement et une chaussée aménagée au bord de l'eau.

> Voir aussi appontement.

▶ *lieux extérieurs - transport et accès (3.2)*

quai de chargement
> Plate-forme aménagée pour l'embarquement et le débarquement des marchandises.

● Le terme «embarcadère» est à éviter dans ce sens.

▶ *lieux extérieurs - transport et accès (3.2)*

rampe
> Pente, portion inclinée d'une voie de circulation.

▶ *lieux extérieurs - transport et accès (3.2)*

réception
> Emplacement réservé à l'accueil des visiteurs à l'entrée d'un édifice, d'un étage ou d'une suite de bureaux.

▶ *administration (4.1)*

réfrigérateur-chambre
> Petite pièce où l'on conserve les aliments à une température légèrement supérieure au point de congélation et où l'on peut pénétrer.

▶ *alimentation (2.5)*

remise
> Abri, local sans aménagement spécial où l'on range divers objets.

▶ *rangement (2.6)*

remise de véhicule
> Voir garage (de stationnement).

réserve
> Pièce qui sert à garder certaines choses en vue d'une utilisation future.

▶ *rangement (2.6)*

réserve (d'aliments)
> Pièce où sont entreposés les aliments.

▶ *alimentation (2.5)*

résidence
> Bâtiment où habite, sans y avoir son domicile, le personnel de l'entreprise affecté à l'entretien et à l'exploitation de certains équipements construits dans des endroits isolés.

▶ *constructions et ensembles (1)*

restaurant
> Établissement où l'on sert des repas moyennant paiement.

> Voir aussi cafétéria, cantine, casse-croûte.

▶ *alimentation (2.5)*

rez-de-chaussée

Étage situé sensiblement au niveau du sol et comportant l'entrée principale d'un bâtiment.

▶ *parties de bâtiment - généralités (2.1)*

roulotte

Synonyme de bâtiment mobile.

▶ *constructions et ensembles (1)*

salle

Pièce plus ou moins grande destinée à un usage particulier.

▶ *parties de bâtiment - généralités (2.1)*

salle à manger

Pièce disposée pour y prendre les repas.

● L'expression «salle de repas» est à éviter.

▶ *alimentation (2.5)*

salle anéchoïque

Pièce dont les parois sont construites de manière à absorber totalement les ondes sonores qui les frappent.

▶ *recherche (4.5)*

salle auxiliaire de la machine de chargement

Pièce où l'on stationne habituellement la machine de chargement du combustible nucléaire et où l'on procède à son entretien et à sa vérification.

▶ *centrales nucléaires - bâtiment du réacteur (4.4.4.4)*

salle auxiliaire du modérateur

Pièce où sont situés les tuyauteries et les échangeurs de chaleur du circuit du modérateur.

▶ *centrales nucléaires - bâtiment des services (4.4.4.2)*

salle climatique

Pièce équipée de mécanismes reproduisant les conditions climatiques naturelles auxquelles sont soumis les appareils à l'essai.

▶ *recherche (4.5)*

salle commune

Pièce servant à plusieurs fonctions de service au personnel (vestiaire, salle à manger, cantine, salle de réunions, etc.).

▶ *parties de bâtiment - généralités (2.1)*

salle commune des opérateurs
> Pièce où se tiennent les opérateurs lorsqu'ils ne sont pas en service.

▶ *transport et distribution d'électricité (4.3)*

salle d'alimentation électrique
> Pièce où est situé tout l'équipement nécessaire à l'alimentation électrique normale et de secours d'une installation.

▶ *transport et distribution d'électricité (4.3)*

salle d'alimentation statique sans coupure
> Pièce où est situé l'équipement qui permet d'alimenter sans interruption une installation ou un appareil lorsqu'il y a une panne de courant.

▶ *transport et distribution d'électricité (4.3)*

salle d'archivage
> Pièce servant à entreposer les statistiques du réseau emmagasinées sur différents supports d'information : bandes magnétiques, disques, cassettes et papier.

▶ *administration (4.1)*

salle d'attente
> Pièce aménagée pour les personnes qui attendent.

▶ *administration (4.1)*

salle d'eau
> Pièce qui contient des lavabos, des fontaines pour ablutions ou des douches, avec ou sans autres appareils sanitaires.

▶ *hygiène et santé (2.4)*

salle de bains
> Pièce qui contient une baignoire ou une douche, avec ou sans autres appareils sanitaires.

▶ *hygiène et santé (2.4)*

salle d'échantillonnage de l'eau
> Pièce où l'on prélève des échantillons de l'eau du circuit de vapeur de la tranche thermique.

▶ *centrales thermiques classiques (4.4.2)*

salle de climatisation
> Pièce où sont situés les installations, les appareils et les circuits servant à créer et à maintenir des conditions déterminées de température, d'humidité relative, de vitesse et de pureté de l'air d'un bâtiment.

● L'expression «salle de mécanique» est à éviter.

▶ *auxiliaires du bâtiment (2.3)*
▶ *centrales nucléaires - bâtiment des services (4.4.4.2)*

salle de commande
   Pièce où sont situés les organes nécessaires à la conduite et à la surveillance des ouvrages d'une centrale ou d'un poste.

▶ *transport et distribution d'électricité (4.3)*
▶ *centrales hydroélectriques (4.4.1)*
▶ *centrales thermiques classiques (4.4.2)*
▶ *centrales diesel (4.4.3)*
▶ *centrales nucléaires - bâtiment des services (4.4.4.2)*

salle de commande
   Pièce, ordinairement attenante à une salle d'essais, où sont situés les divers organes permettant de mettre en marche ou d'arrêter un essai ou d'en régler certaines variables.

▶ *recherche (4.5)*

salle de commande auxiliaire
   Pièce d'où l'on peut effectuer l'arrêt sécuritaire du réacteur en cas de tremblement de terre ou d'autres situations d'urgence.

▶ *centrales nucléaires - bâtiment des services (4.4.4.2)*

salle de commande générale
   Voir centre de commande.

salle de conditionnement (du mazout)
   Pièce où sont situés les appareils qui servent à réchauffer et à purifier le mazout.

▶ *centrales diesel (4.4.3)*

salle de conférences
   Pièce aménagée pour les conférences ou pour réunir un grand nombre de personnes.

   Voir aussi amphithéâtre, salle de réunions.

▶ *administration (4.1)*

salle de contrôle de l'eau lourde
   Pièce où l'on surveille la teneur isotopique de l'eau lourde lors de la reconcentration.

▶ *centrales nucléaires - bâtiment des services (4.4.4.2)*

salle de coupe
   Pièce qui sert à isoler les appareils utilisés pour la coupe de métaux, de minéraux, etc.

▶ *centrales nucléaires - auxiliaires (ou périphériques) (4.4.4.5)*

salle de cours
   Pièce où se donne un enseignement.

● L'expression «salle de formation» est à éviter.

▶ *administration (4.1)*

salle de déshabillage
Voir vestiaire.

salle de dessin
Pièce aménagée spécialement pour les travaux de conception graphique et de dessin.

▶ *administration (4.1)*

salle de détection des ruptures de gaines
Pièce où est situé le détecteur du système de détection des ruptures de gaines.

▶ *centrales nucléaires - bâtiment du réacteur (4.4.4.4)*

salle de deutération
Pièce où l'on remplace l'eau légère qui entoure les résines de purification du modérateur par de l'eau lourde et vice versa.

▶ *centrales nucléaires - bâtiment des services (4.4.4.2)*

salle de développement (photographique)
Pièce où est située une machine de développement automatique des clichés.

▶ *centrales nucléaires - auxiliaires (ou périphériques) (4.4.4.5)*

salle (de distribution) des gaz
Pièce où sont situés les bouteilles de gaz comprimés et les raccords qui permettent de distribuer ces gaz dans divers circuits.

▶ *recherche (4.5)*

salle de distribution électrique
Pièce où sont situés le tableau de branchement principal, les compteurs et autres appareils connexes.

Voir aussi local électrique.

● L'expression «chambre électrique» est à éviter.

▶ *auxiliaires du bâtiment (2.3)*

salle d'effet de couronne
Pièce équipée spécialement pour étudier l'effet de couronne sur les éléments d'appareillage.

▶ *recherche (4.5)*

salle de formation
Voir salle de cours.

salle de jeux
Pièce réservée au divertissement et contenant généralement des équipements nécessaires à certains jeux tels le billard, le tennis de table, les jeux électroniques.

▶ *parties de bâtiment - généralités (2.1)*

salle de la bâche alimentaire
Pièce où sont situés les réservoirs d'appoint d'eau déminéralisée du circuit de vapeur de la turbine.

▶ *centrales nucléaires - bâtiment de la turbine (4.4.4.3)*

salle de la machine de chargement

Pièce attenante à la cuve du réacteur où la machine de chargement du combustible effectue le chargement du combustible neuf et le déchargement du combustible épuisé.

▶ *centrales nucléaires - bâtiment du réacteur (4.4.4.4)*

salle de localisation des ruptures de gaines

Pièce où est située la tuyauterie d'échantillonnage du caloporteur qui permet de déterminer l'origine de fuites de combustible dans le système.

▶ *centrales nucléaires - bâtiment du réacteur (4.4.4.4)*

salle de manœuvre

Dans un poste intérieur, pièce où est situé l'appareillage d'ouverture et de fermeture des circuits de puissance.

▶ *transport et distribution d'électricité (4.3)*

salle de manutention des résines

Pièce où sont situés les réservoirs de résines qui servent à alimenter les circuits de purification du bâtiment du réacteur.

▶ *centrales nucléaires - bâtiment des services (4.4.4.2)*

salle de manutention du combustible épuisé

Pièce où l'on dirige le combustible épuisé ou défectueux vers une des piscines de stockage et où on le prépare pour l'expédition.

▶ *centrales nucléaires - bâtiment des services (4.4.4.2)*

salle de mécanique

Voir chaufferie, chaufferie auxiliaire, local technique, salle de climatisation, salle des machines.

salle de mécanographie

Pièce où sont situées les machines à perforer les cartes d'ordinateur.

▶ *administration (4.1)*

salle de mélange du poison

Pièce où se fait le mélange de gadolinium et d'eau lourde qui constitue le liquide d'injection utilisé pour les arrêts d'urgence du réacteur.

▶ *centrales nucléaires - bâtiment du réacteur (4.4.4.4)*

salle de mesurage

Pièce d'un bâtiment de poste ou de centrale où sont situés les équipements de mesure des paramètres du réseau.

▶ *transport et distribution d'électricité (4.3)*

salle de mesure
Pièce, généralement attenante à une salle d'essais, où sont situés les instruments de mesure et les appareils d'acquisition de données utilisés pour les essais.

▶ *recherche (4.5)*

salle de montage
Pièce où se déroulent la préparation ou la modification de l'appareillage destiné aux essais ; on y effectue aussi certains essais qui ne nécessitent pas de grandes sources de puissance.

▶ *recherche (4.5)*

salle d'entraînement
Pièce aménagée pour l'exercice corporel ou la préparation à des activités sportives.

▶ *parties de bâtiment - généralités (2.1)*

salle d'entrée d'eau
Voir local du réseau d'extincteurs automatiques à eau.

salle d'entretien
Voir local d'entretien.

salle d'entrevue
Pièce réservée aux entrevues.

▶ *administration (4.1)*

salle de pollution
Pièce où l'on soumet l'appareillage à des essais sous tension dans des conditions qui reproduisent de façon normalisée les conditions de pollution atmosphérique réelles.

▶ *recherche (4.5)*

salle de pompage du mazout
Pièce où sont situées les pompes d'alimentation du mazout.

▶ *centrales thermiques classiques (4.4.2)*

salle de préparation des échantillons
Pièce où l'on prépare des échantillons de matériaux durs, notamment par polissage, en vue de les examiner au microscope.

▶ *centrales nucléaires - auxiliaires (ou périphériques) (4.4.4.5)*

salle de projection
Pièce spécialement aménagée pour la projection d'images sur écran.

▶ *administration (4.1)*

salle d'épuration de l'air
Pièce dans laquelle on retire les contaminants de l'air de ventilation avant de le rejeter dans l'atmosphère.

▶ *centrales nucléaires - bâtiment des services (4.4.4.2)*

salle de purification du caloporteur

Pièce où sont situés les réservoirs des échangeurs d'ions qui retirent les éléments délétères de l'eau lourde du circuit du caloporteur.

▶ *centrales nucléaires - bâtiment des services (4.4.4.2)*

salle de purification du modérateur

Pièce où l'on purifie l'eau lourde du circuit du modérateur.

▶ *centrales nucléaires - bâtiment des services (4.4.4.2)*

salle d'équipement de commande

Pièce où sont situés divers appareillages auxiliaires de la salle de commande.

▶ *centrales nucléaires - bâtiment des services (4.4.4.2)*

salle d'équipement informatique

Pièce contenant de l'équipement électronique et informatique.

▶ *administration (4.1)*

salle de radiographie

Pièce où l'on examine au moyen de rayons X des pièces métalliques, des soudures, etc.

▶ *centrales nucléaires - auxiliaires (ou périphériques) (4.4.4.5)*

salle de rangement

Pièce utilisée pour placer et disposer des choses dans un ordre déterminé.

▶ *rangement (2.6)*

salle de recueil d'eau lourde

Pièce où convergent les tuyaux qui canalisent les fuites d'eau lourde des vannes des différents équipements du caloporteur.

▶ *centrales nucléaires - bâtiment du réacteur (4.4.4.4)*

salle de récupération de l'eau lourde

Pièce où l'on recueille l'eau lourde dégradée avant de la reconcentrer.

▶ *centrales nucléaires - bâtiment des services (4.4.4.2)*

salle (de récupération) des rebuts

Voir chambre à ordures (ménagères).

salle de récupération de vapeur d'eau lourde

Pièce où l'on fait passer de l'air sur des produits dessicants pour en récupérer la vapeur d'eau lourde.

▶ *centrales nucléaires - bâtiment des services (4.4.4.2)*

salle de relayage
Pièce d'un bâtiment de poste où sont situés les automatismes et les équipements de protection destinés au relayage centralisé.

● L'expression «salle de réseaux» est à éviter.

▶ *transport et distribution d'électricité (4.3)*

salle de remplissage de l'eau alimentaire
Pièce où l'on ajoute ou retire de l'eau au système de refroidissement par eau recirculée.

▶ *centrales nucléaires - bâtiment de la turbine (4.4.4.3)*

salle de réparation du «hardware»
Voir atelier électronique.

salle de repas
Voir salle à manger.

salle de repos
Pièce aménagée pour la détente du personnel affecté à des tâches qui demandent beaucoup de concentration ou d'efforts physiques.

Voir aussi aire de repos.

▶ *hygiène et santé (2.4)*

salle de reprographie
Pièce où sont situés les appareils de reproduction des documents.

Voir aussi imprimerie.

▶ *administration (4.1)*

salle de réseaux
Voir salle de relayage.

salle de réunions
Pièce où peuvent se réunir de petits groupes de personnes.

Voir aussi salle de conférences.

▶ *administration (4.1)*

salle des accumulateurs
Synonyme de salle des batteries.

▶ *transport et distribution d'électricité (4.3)*

salle des alternateurs
Pièce où sont situés les alternateurs servant à produire de l'énergie électrique dans une centrale.

▶ *centrales hydroélectriques (4.4.1)*

salle des auxiliaires du caloporteur
Pièce où sont situés divers appareils asservis au circuit du caloporteur.

▶ *centrales nucléaires - auxiliaires (ou périphériques) (4.4.4.5)*

salle des batteries
Pièce spécialement aménagée pour abriter les batteries d'accumulateurs qui fournissent le courant continu nécessaire au fonctionnement d'un poste, au dépannage, etc.

Syn. : salle des accumulateurs.

▶ *transport et distribution d'électricité (4.3)*

salle des câbles
Pièce, généralement située à l'étage inférieur d'un bâtiment de poste, dans laquelle on installe les câbles qui relient entre eux les divers organes du poste.

▶ *transport et distribution d'électricité (4.3)*

salle des chaudières
Voir chaufferie.

salle des circuits d'essais synthétiques
Pièce où sont situés les divers éléments des circuits qui servent à multiplier la puissance d'essai.

▶ *recherche (4.5)*

salle des compresseurs
Pièce où sont situés des appareils pour comprimer de l'air ou d'autres gaz.

▶ *centrales diesel (4.4.3)*

salle des condenseurs
Pièce où sont situés les condenseurs qui servent à recueillir la vapeur sortant de la turbine et à la refroidir.

▶ *centrales nucléaires - bâtiment de la turbine (4.4.4.3)*

salle des déchets (ou des rebuts)
Voir chambre à ordures (ménagères).

salle des disjoncteurs
Pièce où sont situés les disjoncteurs dans une centrale.

▶ *centrales hydroélectriques (4.4.1)*

salle des données
Synonyme de salle des périphériques et de salle des terminaux.

▶ *administration (4.1)*

salle de séchage
Voir séchoir.

salle des échangeurs (de refroidissement d'urgence du cœur à basse et moyenne pression)
Pièce où sont situés les appareils dans lesquels l'eau du système de refroidissement d'urgence du cœur transfère sa chaleur au circuit fermé d'eau de refroidissement.

▶ *centrales nucléaires - bâtiment des services (4.4.4.2)*

salle des échangeurs d'ions du système de traitement de l'eau

Pièce où sont situés les appareils dans lesquels les résines saturées à la suite du traitement de l'eau sont nettoyées à l'aide de divers produits chimiques avant de servir à nouveau.

► *centrales nucléaires - bâtiment de la turbine (4.4.4.3)*

salle de séjour

Pièce d'une habitation où l'on se tient habituellement.

► *parties de bâtiment - généralités (2.1)*

salle des enregistreurs

Pièce où sont situés les divers appareils qui enregistrent les données relatives au fonctionnement d'une centrale thermique.

► *centrales thermiques classiques (4.4.2)*

salle des extincteurs

Pièce où sont situés les appareils de protection contre les incendies.

► *centrales diesel (4.4.3)*

salle des gicleurs

Voir local du réseau d'extincteurs automatiques à eau.

salle des groupes diesel

Pièce où sont situés les moteurs diesel et les alternateurs d'une centrale diesel.

► *centrales diesel (4.4.3)*

salle des groupes (électrogènes) de secours

Pièce où sont situés les groupes électrogènes destinés à prendre la relève en cas de panne de l'alimentation électrique habituelle.

► *centrales nucléaires - bâtiment de la turbine (4.4.4.3)*

salle des hommes

Voir salle des monteurs, toilettes, vestiaire.

salle des machines

Pièce où sont situés les divers appareils et machines servant à assurer les services auxiliaires d'un bâtiment, dont le refroidissement et, accessoirement, le chauffage.

Voir aussi chaufferie auxiliaire.

● L'expression «salle de mécanique» est à éviter.

► *auxiliaires du bâtiment (2.3)*

salle des machines

Pièce où sont situés les turbo-alternateurs dans une centrale.

► *centrales thermiques classiques (4.4.2)*

salle des microscopes

Pièce où sont situés les microscopes utilisés pour les besoins d'une centrale nucléaire.

► *centrales nucléaires - auxiliaires (ou périphériques) (4.4.4.5)*

salle des monteurs
Pièce polyvalente servant aux réunions de groupe des monteurs, à l'attente, aux repas et aux changements de vêtements.

● Les expressions «salle des hommes» et «salle d'hommes» sont à éviter.

▶ *administration (4.1)*

salle des onduleurs
Pièce où sont situés les onduleurs qui servent à alimenter les circuits essentiels en courant alternatif à partir du courant continu fourni par les batteries d'accumulateurs.

▶ *centrales nucléaires - bâtiment de la turbine (4.4.4.3)*

salle des opérateurs
Pièce généralement insonorisée et climatisée, dans la salle des alternateurs, où se tient le personnel chargé de l'inspection et des manœuvres en attendant les appels de la salle de commande.

▶ *centrales hydroélectriques (4.4.1)*

salle des ordinateurs
Pièce où sont situés les ordinateurs.

▶ *administration (4.1)*

salle des périphériques
Pièce où sont situés les divers organes périphériques ou les terminaux reliés aux ordinateurs.

Syn. : salle des données, salle des terminaux.

▶ *administration (4.1)*

salle des pompes de la machine de chargement
Pièce où sont situées les pompes qui fournissent à la machine de chargement du combustible l'eau lourde qui assure la continuité avec le caloporteur lors du chargement ou du déchargement du réacteur.

▶ *centrales nucléaires - bâtiment du réacteur (4.4.4.4)*

salle des pompes de secours
Pièce où sont situés les groupes motopompes d'alimentation d'eau en cas d'urgence.

▶ *centrales nucléaires - auxiliaires (ou périphériques) (4.4.4.5)*

salle des pompes et des vannes d'appoint du caloporteur
Pièce où sont situées les pompes qui servent à maintenir la pression à l'intérieur du circuit du caloporteur primaire et à ajouter ou à enlever de l'eau lourde.

▶ *centrales nucléaires - bâtiment du réacteur (4.4.4.4)*

salle des redresseurs
Pièce où sont situés les redresseurs et autres appareils qui servent à convertir le courant alternatif en courant continu pour charger les batteries d'accumulateurs et pour alimenter les circuits de distribution à courant continu.

▶ *centrales nucléaires - bâtiment de la turbine (4.4.4.3)*

salle des refroidisseurs en temps d'arrêt
Pièce où sont situés les refroidisseurs du caloporteur utilisés lorsque le réacteur est à l'arrêt.

▶ *centrales nucléaires - bâtiment du réacteur (4.4.4.4)*

salle d'essais
Pièce où l'on effectue des essais ou des expériences.

▶ *recherche (4.5)*

salle des soupapes de sûreté
Pièce où sont situées les soupapes destinées à empêcher l'explosion du circuit de vapeur.

▶ *centrales nucléaires - bâtiment des services (4.4.4.2)*

salle des terminaux
Pièce où sont situés les divers organes (clavier, écran cathodique, imprimante, etc.) permettant de communiquer avec un ordinateur central éloigné.

Syn. : salle des données, salle des périphériques.

▶ *administration (4.1)*

salle des transmetteurs
Pièce où sont situés les appareils qui convertissent les paramètres physiques des divers systèmes en signaux électriques destinés à la régulation, et qui transmettent ces signaux.

▶ *centrales nucléaires - bâtiment du réacteur (4.4.4.4)*

salle des valves à thyristors
Pièce où sont situées les valves à thyristors dans un poste de conversion.

▶ *transport et distribution d'électricité (4.3)*

salle des vannes de refroidissement d'urgence du cœur du réacteur
Pièce où sont situées les vannes d'isolement du système de refroidissement d'urgence du cœur du réacteur.

▶ *centrales nucléaires - bâtiment du réacteur (4.4.4.4)*

salle de télécommunications
Pièce où sont situés les équipements nécessaires aux systèmes de radiotéléphonie et d'acquisition des données.

● L'expression «salle de téléphonie» est à éviter.

▶ *transport et distribution d'électricité (4.3)*

salle de téléconduite
Pièce où sont situés tous les organes nécessaires à l'émission et à la réception des informations relatives à la téléconduite dans un poste.

▶ *transport et distribution d'électricité (4.3)*

salle de téléphonie
Voir salle de télécommunications.

salle de télévision
Pièce aménagée pour regarder la télévision.

▶ *parties de bâtiment - généralités (2.1)*

salle de toilettes
Voir toilettes.

salle de traitement (du mazout)
Pièce où l'on incorpore certains additifs au mazout.

▶ *centrales thermiques classiques (4.4.2)*

salle de transfert du combustible épuisé
Pièce où est située la piscine de transfert dans laquelle est déposé le combustible épuisé à sa sortie de la machine à combustible.

▶ *centrales nucléaires - bâtiment du réacteur (4.4.4.4)*

salle de ventilation
Pièce où sont situés les ventilateurs.

▶ *centrales nucléaires - bâtiment des services (4.4.4.2)*

salle d'examens
Pièce aménagée pour y effectuer des examens médicaux.

▶ *hygiène et santé (2.4)*

salle d'exploitation
Pièce où les exploitants travaillent en temps réel dans un centre d'exploitation de distribution.

▶ *transport et distribution d'électricité (4.3)*

salle d'hommes
Voir salle des monteurs, toilettes, vestiaire.

salle d'observation
Pièce protégée, contiguë à une salle d'essais, d'où les observateurs peuvent en toute sécurité avoir une vue d'ensemble sur les essais en cours.

▶ *recherche (4.5)*

salle du circuit d'eau lourde de la machine de chargement
Pièce où sont situés les vannes et les transmetteurs qui assurent la manœuvre automatique du circuit d'eau lourde de la machine de chargement du combustible.

▶ *centrales nucléaires - bâtiment du réacteur (4.4.4.4)*

salle du circuit des boucliers
Pièce où l'on refroidit et purifie l'eau de refroidissement des boucliers thermiques du réacteur.

▶ *centrales nucléaires - bâtiment du réacteur (4.4.4.4)*

salle du circuit des piscines
Pièce où sont situés les échangeurs de chaleur, les colonnes de purification et autres appareils qui servent à traiter l'eau des piscines de stockage.

▶ *centrales nucléaires - bâtiment des services (4.4.4.2)*

salle du conseil
Pièce où se réunit le conseil d'administration de l'entreprise.

▶ *administration (4.1)*

salle du dégazeur
Pièce où est situé l'appareil qui sert à enlever les incondensables dissous dans l'eau alimentaire des générateurs de vapeur (circuit secondaire).

▶ *centrales nucléaires - bâtiment de la turbine (4.4.4.3)*

salle du gaz de couverture
Pièce où sont situés les appareils d'analyse et de compression du gaz de couverture, et les blocs de recombinaison de l'hydrogène et de l'oxygène produits par radiolyse de l'eau lourde.

▶ *centrales nucléaires - bâtiment du réacteur (4.4.4.4)*

salle du groupe électrogène
Pièce où est situé l'équipement nécessaire à l'alimentation de secours d'une installation.

▶ *auxiliaires du bâtiment (2.3)*

salle du modérateur
Pièce où sont situés les vannes et les organes de manœuvre du circuit d'eau lourde du modérateur.

▶ *centrales nucléaires - bâtiment du réacteur (4.4.4.4)*

salle du pressuriseur
Pièce constituant une enceinte qui entoure le pressuriseur et certains de ses appareils auxiliaires (dégazeur, condenseur).

▶ *centrales nucléaires - bâtiment du réacteur (4.4.4.4)*

salle du réglage zonal
Pièce où sont situés les systèmes de réglage du niveau des colonnes d'eau dans les barres liquides de contrôle de la réactivité.

▶ *centrales nucléaires - bâtiment du réacteur (4.4.4.4)*

salle du turbo-alternateur
Pièce où est situé le turbo-alternateur.

▶ *centrales nucléaires - bâtiment de la turbine (4.4.4.3)*

salle polyvalente
Pièce pouvant facilement être aménagée pour différentes activités.

▶ *parties de bâtiment - généralités (2.1)*

sas
Espace clos séparant deux milieux différents et comportant deux portes qui permettent de passer d'un milieu à l'autre en maintenant ceux-ci isolés l'un de l'autre.

▶ *parties de bâtiment - circulation (2.2)*

sas d'équipement
Vaste sas conçu pour permettre le passage des grosses pièces d'équipement et du personnel entre le bâtiment du réacteur, où l'atmosphère est contrôlée, et le bâtiment des services.

▶ *centrales nucléaires - bâtiment des services (4.4.4.2)*

sas de secours
Petit sas qui permet au personnel de passer du bâtiment du réacteur au bâtiment des services en cas d'urgence.

▶ *centrales nucléaires - bâtiment des services (4.4.4.2)*

satellite électrique
Voir local électrique.

sauna
Pièce où l'on prend des bains de vapeur.

▶ *parties de bâtiment - généralités (2.1)*

séchoir
Pièce spécialement aménagée soit pour le séchage des perches, des câbles, des cordages et autres outils pour travaux sous tension, soit pour le séchage des vêtements des monteurs. Cette pièce est généralement munie d'un dispositif de ventilation et d'un aérotherme.

● L'expression «salle de séchage» est à éviter.

▶ *transport et distribution d'électricité (4.3)*

service de santé
Voir centre médical.

siège régional
Ensemble localisé des bâtiments et du terrain où sont effectuées les principales activités administratives, fonctionnelles et parfois techniques d'une région.

▶ *administration (4.1)*

siège social
Bâtiment où se trouvent la direction générale et les principaux bureaux de l'entreprise.

▶ *administration (4.1)*

soufflerie
Pièce où sont situés les ventilateurs soufflants.

▶ *centrales thermiques classiques (4.4.2)*

sous-sol
Partie utilisable d'un bâtiment, qui est située partiellement ou totalement sous le niveau du sol extérieur.

Voir aussi cave, vide sanitaire.

▶ *parties de bâtiment - généralités (2.1)*

sous-station
Voir poste (électrique).

station d'alimentation des servomoteurs
Pièce où est situé l'appareillage qui sert à alimenter en huile sous pression les servomoteurs hydrauliques d'une turbine.

▶ *centrales hydroélectriques (4.4.1)*

station de conversion
Synonyme de poste de conversion.

▶ *transport et distribution d'électricité (4.3)*

station de filtration
Pièce où est situé l'appareillage de filtration de l'eau de refroidissement d'un groupe générateur.

▶ *centrales hydroélectriques (4.4.1)*

station de pompage
Pièce ou bâtiment où sont situées les pompes qui servent à puiser l'eau nécessaire à une installation.

▶ *auxiliaires du bâtiment (2.3)*

station d'épuration
Ensemble des ouvrages où sont situées les installations de traitement des eaux usées.

● L'expression «champ d'épuration» est à éviter dans ce sens.

▶ *auxiliaires du bâtiment (2.3)*

station d'essais haute tension
Bâtiment ou partie de bâtiment où sont effectués des essais à haute tension.

▶ *recherche (4.5)*

station d'essais moyenne tension

Bâtiment ou partie de bâtiment où sont effectués des essais à moyenne tension.

▶ *recherche (4.5)*

station de surpression

Pièce où sont situées les pompes destinées à suppléer au réseau de distribution d'eau en cas d'incendie ou de chute de pression.

▶ *centrales diesel (4.4.3)*

station de traitement de l'eau

Pièce ou bâtiment dans lequel est situé l'appareillage qui sert à modifier les caractéristiques de l'eau brute pour la rendre propre à l'usage qu'on veut en faire (consommation domestique, production de vapeur, etc.).

▶ *auxiliaires du bâtiment (2.3)*

station de transfert (du mazout)

Emplacement où sont situés les pompes et autres appareils servant à acheminer le mazout du parc à mazout à la chaufferie.

▶ *centrales thermiques classiques (4.4.2)*

stationnement

Voir parc de stationnement.

studio audiovisuel

Local destiné à la réalisation de documents audiovisuels.

▶ *administration (4.1)*

studio de photographie

Local aménagé pour la prise de clichés photographiques.

▶ *administration (4.1)*

tambour
Petite enceinte formant sas à l'entrée d'un bâtiment pour éviter la pénétration du vent ou du froid.

▶ *parties de bâtiment - circulation (2.2)*

terrain (à bâtir)
Partie de sol plus ou moins étendue, apte à recevoir des constructions.

▶ *lieux extérieurs - généralités (3.1)*

terrain de sports
Aire extérieure aménagée pour la pratique des sports.

▶ *lieux extérieurs - généralités (3.1)*

terrasse
Levée de terre formant plate-forme et ayant au moins un côté vertical ou taluté, ou aire accessible sur la toiture d'un bâtiment et pouvant être aménagée.

▶ *lieux extérieurs - généralités (3.1)*

toilettes
Pièce dans laquelle sont installés des cabinets d'aisances ou des urinoirs, et des lavabos.

Voir aussi cabinet (d'aisances).

● Les expressions «salle des hommes», «salle de toilettes» et «salle d'hommes» sont à éviter.

▶ *hygiène et santé (2.4)*

tôlerie
Atelier où l'on façonne la tôle, particulièrement les carrosseries de véhicules.

▶ *construction et entretien (4.2)*

tour de contrôle
> Bâtiment dominant un aéroport, d'où est assurée la régulation des mouvements liés aux décollages et aux atterrissages des aéronefs.

► *lieux extérieurs - transport et accès (3.2)*

tour de reconcentration
> Construction en hauteur qui abrite les colonnes de reconcentration de l'eau lourde récupérée de différents circuits.

► *centrales nucléaires - généralités (4.4.4.1)*

travée
> Espace d'un poste ou d'une installation de production où est installé l'ensemble de l'appareillage d'un circuit donné.

> Voir aussi cellule.

► *transport et distribution d'électricité (4.3)*

trottoir
> Chemin, généralement surélevé, réservé à la circulation des piétons et longeant une rue, un quai, etc.

► *lieux extérieurs - transport et accès (3.2)*

unité de secours
    Voir poste de (premiers)
    secours.

usine de traitement de l'eau
    Pièce qui abrite les systèmes
    utilisés pour le traitement
    primaire de l'eau domestique
    ou déminéralisée.

▶ *centrales nucléaires - bâtiment*
    des services (4.4.4.2)

véranda

Galerie ou balcon couvert disposé en saillie à l'extérieur d'un bâtiment et non utilisé comme pièce habitable.

▶ *parties de bâtiment - généralités (2.1)*

vestiaire

Emplacement où l'on dépose momentanément les vêtements.

Voir aussi garde-robe, penderie, placard.

● Les expressions «salle de déshabillage», «salle des hommes» et «salle d'hommes» sont à éviter.

▶ *rangement (2.6)*

vestiaire chaud

Vestiaire destiné aux vêtements de travail des travailleurs sous rayonnement.

▶ *centrales nucléaires - bâtiment des services (4.4.4.2)*

vestibule

Espace de circulation de petites dimensions à l'entrée d'un immeuble, d'un appartement, d'une maison.

Voir aussi hall (d'entrée).

▶ *parties de bâtiment - circulation (2.2)*

vide sanitaire

Espace peu profond entre le rez-de-chaussée et le sol d'un bâtiment qui ne comporte pas de cave ni de sous-sol.

Voir aussi cave, sous-sol.

▶ *parties de bâtiment - généralités (2.1)*

vide sous toit

Espace entre la couverture et le plafond de l'étage supérieur d'un bâtiment.

Voir aussi comble.

● Le terme «entretoit» est à éviter.

▶ *parties de bâtiment - généralités (2.1)*

vide technique

Espace prévu dans un bâtiment pour y dissimuler les installations techniques ou en faciliter la pose et l'entretien.

Voir aussi gaine technique, galerie technique.

► *auxiliaires du bâtiment (2.3)*

voie de circulation

Espace aménagé pour permettre le passage des véhicules automobiles.

► *lieux extérieurs - transport et accès (3.2)*

voie de circulation

Espace d'un aéroport ou d'un héliport aménagé pour la circulation au sol des aéronefs.

► *lieux extérieurs - transport et accès (3.2)*

voie de garage

Portion de voie ferrée où l'on gare les wagons.

► *lieux extérieurs - transport et accès (3.2)*

zone

Espace quelconque, généralement affecté à une fonction spéciale.

▶ *constructions et ensembles (1)*

zone contrôlée

Partie d'une installation nucléaire où seuls les travailleurs sous rayonnement ont accès de façon régulière, et qui peut contenir des sources de contamination radioactive.

● Les zones 2 et 3 de la centrale de Gentilly 2 sont des zones contrôlées.

▶ *centrales nucléaires - généralités (4.4.4.1)*

zone d'entretien

Dans un aéroport, zone où sont situés les hangars, les ateliers et les aires de stationnement nécessaires à la réparation et à l'entretien des aéronefs.

▶ *lieux extérieurs - transport et accès (3.2)*

zone de sécurité

Dans un héliport, zone qui est normalement exempte d'obstacles et qui comprend la surface d'atterrissage et de décollage ainsi qu'une partie de l'espace environnant.

▶ *lieux extérieurs - transport et accès (3.2)*

ACADÉMIE D'ARCHITECTURE, *Lexique des termes du bâtiment,* Paris, Ch. Massin et Cie, 1963, 212 p.

ASSOCIATION CANADIENNE DE NORMALISATION (ACNOR), *Code canadien de l'électricité (première partie) et modifications du Québec,* 12e éd., ACNOR C22.10-1977, Rexdale (Ont.), ACNOR, 1977, 514 p.

ASSOCIATION FRANÇAISE DE NORMALISATION (AFNOR), *Langage commun de transaction pour le tourisme et les loisirs - Première partie - Vocabulaire interprofessionnel franco-anglais du tourisme et des loisirs,* norme expérimentale Z 16-001, Paris, AFNOR, avril 1985, 246 p.

ASSOCIATION FRANÇAISE DE NORMALISATION (AFNOR), *Règles de sécurité pour la construction et l'installation des ascenseurs et monte-charge, Partie 1 - Ascenseurs électriques,* norme NF P 82-210, Paris, AFNOR, 1980, 107 p.

ASSOCIATION INTERNATIONALE PERMANENTE DES CONGRÈS DE LA ROUTE (AIPCR), *Dictionnaire technique routier français-anglais,* 5e éd., Paris, AIPCR, 1982, 149 p.

BARBIER, Maurice, *Dictionnaire technique du bâtiment et des travaux publics,* Paris, Eyrolles, 1982, 172 p.

BOURSEAU, Marcel, *L'Équipement hôtelier,* Paris, Flammarion, 1980, 661 p.

CALSAT, Jean-Henri, SYDLER, Jean-Pierre, *Vocabulaire international des termes d'urbanisme et d'architecture,* Paris, Société de diffusion des techniques du bâtiment et des travaux publics, 1970, 350 p.

CANADA, Secrétariat d'État, Bureau des traductions, *Terminologie du logement et du sol urbain,* Bulletin de terminologie 172, Ottawa, Bureau des traductions, 1981, 420 p.

CHOPPY, Jacques, *Dictionnaire de l'industrie routière,* Paris, Eyrolles, 1981, 143 p.

BIBLIOGRAPHIE

COMITÉ ASSOCIÉ DU CODE NATIONAL DE PRÉVENTION DES INCENDIES, *Code national de prévention des incendies du Canada*, 5ᵉ éd., CNRC nᵒ 23175F, Ottawa, Conseil national de recherches du Canada (CNRC), 1985, 176 p.

COMITÉ ASSOCIÉ DU CODE NATIONAL DU BÂTIMENT, *Code canadien de la plomberie*, 4ᵉ éd., CNRC nᵒ 23176F, Ottawa, Conseil national de recherches du Canada (CNRC), 1985, 122 p.

COMITÉ ASSOCIÉ DU CODE NATIONAL DU BÂTIMENT, *Code national du bâtiment du Canada*, 9ᵉ éd., CNRC nᵒ 23174F, Ottawa, Conseil national de recherches du Canada (CNRC), 1985, 487 p.

COMMISSION ÉLECTROTECHNIQUE INTERNATIONALE (CEI), *Dictionnaire CEI multilingue de l'électricité*, Genève, CEI, 1983, vol. 1, 892 p.

Dictionnaire encyclopédique Quillet, Paris, Quillet, 1977, 10 vol. et 1 suppl.

DUPONT, Charles, LETHUILLIER, Jacques, *Dictionnaire anglais-français de l'hôtellerie et de la restauration*, Montréal, SODILIS, 1981, 104 p.

Encyclopédie pratique de la construction et du bâtiment, Paris, Quillet, 1968, 3 vol.

FORBES, J.R., *Dictionnaire d'architecture et de construction français-anglais et anglais-français*, Paris, Lavoisier, 1984, 366 p.

Grand Dictionnaire encyclopédique Larousse, Paris, Larousse, 1982-1985, 10 vol.

Grand Larousse de la langue française, Paris, Larousse, 1971-1978, 7 vol.

Grand Larousse encyclopédique, Paris, Larousse, 1960-1964, 1968, 1975, 10 vol. et 2 suppl.

Le Grand Robert de la langue française, 2ᵉ éd., Paris, Le Robert, 1985, 9 vol.

GROUPEMENT PROFESSIONNEL PARITAIRE POUR LA FORMATION CONTINUE DANS LE DOMAINE DU BÂTIMENT ET DES TRAVAUX PUBLICS, *Initiation au vocabulaire du bâtiment et des travaux publics*, Paris, Eyrolles, 1979, 138 p.

LEFEBVRE, Marcel, *(Nouveau) dictionnaire du bâtiment*, Montréal, Leméac, 1971, 462 p.

ORGANISATION DE L'AVIATION CIVILE INTERNATIONALE (OACI), *Manuel de l'héliport*, Doc. 9261-AN/ 903, Montréal, OACI, 1979, 64 p.

ORGANISATION INTERNATIONALE DE NORMALISATION (ISO), *Bâtiment et génie civil - Vocabulaire général*, Partie 1, ISO 6707/1, Genève, ISO, 1984, 25 p.

QUÉBEC, Office de la langue française, *Répertoire des avis linguistiques et terminologiques*, Québec, Éditeur officiel du Québec, 1982, 104 p.

SOCIÉTÉ CANADIENNE D'HYPOTHÈQUES ET DE LOGEMENT (SCHL), *Glossaire des termes de construction et d'aménagement de terrain*, Ottawa, SCHL, 1982, 62 + 60 p.

Techniques de l'ingénieur, «Construction», Paris, Techniques de l'ingénieur, 1949-, 5 vol.

Trésor de la langue française, Paris, Centre national de la recherche scientifique (CNRS), 1971-, 10 vol. parus.